Il faut que
je vous parle

Dans la même collection aux Éditions J'ai lu

BLANCHE GARDIN

avec la collaboration de
Joseph CARABALONA

Il faut que je vous parle

Avertissement au lecteur

Ce livre n'est pas seulement destiné à un public averti dont la vertu saura résister à quelques mots crus : il est avant tout destiné à un public ayant le sens de l'humour. En d'autres termes, un public qui en acceptera et comprendra les prémisses. S'il comprend le mot « prémisse », c'est encore mieux. « Pénis », c'est bien déjà, mais ça ne suffira pas.

Ce livre est la transcription du spectacle éponyme de Blanche Gardin, donné à la Nouvelle Seine à Paris toute l'année 2015. Tous les codes des spectacles comiques, et du stand-up en particulier, pourront lui être appliqués à profit. Ainsi, le comédien, sans forcément jouer un rôle, n'y prétend pas révéler le fond de sa pensée politique ni la vérité nue, sur le monde, les Noirs, les Arabes ni les Juifs. Pas même sur les bobos, les nains ni les végétariens. Il prétend simplement faire rire son audience. C'est pourquoi il grossit le trait. C'est pourquoi il jongle avec les stéréotypes. C'est pourquoi il joue l'idiot, surtout. L'idiot qui sommeille en chacun de nous. L'idiot dont il vaut mieux rire que de le laisser se développer sans garde-fou, seul et triste, sans recul, sans humour, à ruminer dans le silence sa haine des végétariens.

Malgré tout le talent d'écriture de Blanche, un livre ne remplacera jamais un spectacle, dans lequel le jeu d'acteur, la mise en scène, les mimiques, les adresses au public contribuent beaucoup à donner le ton, l'univers dans lequel se place le comédien, et ainsi à exclure absolument les interprétations rigoristes. Pas de ça ici : c'est le texte brut que vous tenez entre vos mains, l'essence d'*Il faut que je vous parle*. Un petit effort d'imagination vous sera donc nécessaire, peut-être, ici ou là, pour vous rappeler que Blanche ne vous en veut pas personnellement. Qu'elle joue. Qu'elle en garde une petite en réserve pour à peu près tout le monde. Nous conseillons d'ailleurs aux grand-mères qui la lisent de ne pas trop rapidement se croire à l'abri. Souvenez-vous enfin d'une chose essentielle : Blanche est, de loin, de très loin, sa première victime. Si bien qu'on lui pardonnera tout.

À tous les Michel.

Quelle folie de regretter et de déplorer
d'avoir négligé de goûter dans le passé
tel bonheur ou telle jouissance !
Qu'en aurait-on maintenant de plus ?
La momie desséchée d'un souvenir.

ARTHUR SCHOPENHAUER

Vous avez ouvert ce livre pour vous divertir ?

C'est bien, c'est une bonne idée, c'est important de rigoler. Il faut rigoler...

En plus, récemment, j'ai lu quelque part qu'une bonne rigolade valait un gros steak. Je ne sais pas pourquoi on nous balance ce genre d'infos. Enfin, ça explique peut-être pourquoi les végétariens font toujours la gueule.

Pourquoi on nous balance ce genre d'infos ? Une rigolade, ça vaut un steak. Au moins faudrait-il en faire quelque chose, de l'info. Envoyer des clowns en

Afrique, par exemple. Ça leur passerait peut-être l'envie de prendre le bateau. Et puis nous, ça nous débarrasserait de nos clowns.

On pourrait avoir une application sur nos téléphones : « Envoie ton rire en Afrique ». Comme ça, à chaque fois qu'on aurait envie de rigoler, il suffirait d'appuyer sur un bouton : « AH ! AH ! AH ! », et hop ! le rire partirait en Afrique par satellite. Et puis ça serait retransmis là-bas, dans de grands mégaphones, à Bamako.

Le petit Africain, en train de se tortiller « Ooooh… j'ai faim », il entendrait le rire, et hop ! ça lui ferait son steak !

Et comme le rire est communicatif, il entendrait le rire, il rigolerait un peu aussi, il bougerait un peu la tête, ça chasserait les mouches et tout le monde serait content.

On peut faire des choses !

Ça va devenir compliqué de rigoler tous ensemble. Depuis qu'on a compris que Daesh n'était pas une marque de lessive, c'est un peu tendu. En fait, pour qu'il y ait moins de problèmes, on pourrait peut-être continuer de rigoler, mais discrètement, chacun dans son coin. On pourrait avoir comme des toilettes, mais pour aller rigoler. Des rigolettes.

On se précipiterait dans les bars :
« Monsieur, s'il vous plaît, je pourrais utiliser vos rigolettes ?
— Nan ! Les rigolettes, c'est pour les consommateurs.
— Ah bon ? Mais c'est dégueulasse ! Bon... bah, j'ai plus envie du coup. Merci. Bonne journée ! »

Bon, il faut rester positif, on est enfin officiellement en guerre contre l'islam. Depuis le temps qu'on trépignait, là, ça y est !

Enfin, on n'est pas en guerre contre l'islam, non, mais contre l'islamisme, bien sûr. Il ne faut pas diaboliser l'islam. C'est une belle religion, l'islam. C'est comme la colonisation. Il y a des bons côtés dans l'islam.

Par exemple, moi, je trouve ça malin que cette population se soit interdit d'elle-même la picole ! Déjà que, à jeun, ils tuent des gens à l'arme d'assaut, moi, je ne voudrais pas les voir à 18 heures avec un pichet de rosé dans la gueule !

Voilà. Ça n'engage que vous de rire à ça. Nous, les humoristes, on est obligés. On a eu une circulaire, on est obligés de faire deux minutes de blagues islamophobes dans nos interventions pour détendre l'atmosphère. Du coup, le CSA nous oblige à faire deux minutes antisémites aussi, pour la parité. Tout le monde sera servi.

Mais bon, ça fait deux siècles que les caricaturistes foutent des croix dans le cul de Jésus, alors les musulmans avaient un peu de retard. Il est rattrapé. Pouce, maintenant. Je propose qu'on repasse un peu sur les Juifs pour les trente prochaines années. Eux, leur vengeance, au pire, ce sont des commémorations chiantes ou aller tirer la manche de Valls pour se plaindre : « Vous avez vu, il y a de l'antisémitisme, Monsieur le Ministre, quand même !

— Oui, il y en a, vous avez raison. Je vais faire un discours à l'Assemblée nationale pas piqué des hannetons, vous allez voir ! Les antisémites peuvent trembler ! Mettez vos enfants dans le privé ; le reste, je m'en occupe ! »

Quand je pense que Charlie, finalement, ce n'était que l'apéro. Le 7 janvier, c'était les Tuc avant la blanquette de veau. Ben dis donc ! On a hâte de savoir ce qu'il y a pour le dessert !

Mais on ne le savait pas, à l'époque. Charlie, ça a hyper-casher choqué tout le monde. On parlait d'un avant et d'un après Charlie.

Il n'y a pas eu cet effet avant-après pour les attentats au Kenya. Quinze jours après Charlie, dix fois plus de morts, mais il faut dire que la différence avant-après n'était pas nette-nette là-bas. C'était la merde avant, c'est la merde après... Une légère différence de teinte de marron peut-être, mais pas visible pour l'œil européen. C'est normal que ça arrive chez eux, mais pas chez nous ! Parce que nous, on nous a dit : « Vous inquiétez pas, vous êtes la génération sans guerre, puisqu'on a de quoi faire péter la planète et que tout le monde le sait. Donc, entre maintenant et le moment où on fera tout péter, il ne peut rien arriver ici. Logique, non ? »

Charlie, tout le monde se souvient de l'endroit où il était quand ça s'est passé. On ne se souvient pas d'où on était ni de ce qu'on faisait au moment des attentats au Kenya. C'est une bonne technique pour savoir si un truc est important ou non, ça.

Moi, pendant Charlie, je n'étais pas là. J'étais sur l'île d'Yeu. J'étais partie faire une retraite en solo, je fais ça souvent, maintenant. Je pars, seule, dans un beau coin de nature. J'imagine toujours que je vais rentrer avec un recueil de poésie ou des réponses à mes questions existentielles. Ça n'arrive jamais, bien sûr. La seule chose que je ramène, c'est une grosse crève. Et pas de réponse, évidemment. De nouvelles questions, par contre ! Dans le train. « À quelle heure ça ferme, le McDo gare Montparnasse ? » « Est-ce que c'est parce que personne ne m'attend ni à la gare ni chez moi que j'ai faim ? » Ce n'est pas avec ça qu'on écrit un recueil de poésie.

J'avais tout coupé pendant mon séjour sur l'île d'Yeu. Internet, téléphone. J'aime bien me faire croire qu'on est dans le passé. C'est possible de créer cette illusion dans les endroits restés dans leur jus comme l'île d'Yeu. Plus d'outils de communication, je loue un vélo et je traverse l'île battue par les vents, gaiement, pour aller fleurir la tombe du maréchal Pétain. L'île d'Yeu, je ne sais pas si vous connaissez, c'est une île de neuf kilomètres sur trois, bien au large de la Vendée. L'île d'Yeu au mois de janvier… la Lozère, à côté, c'est les Champs Élysées un soir de victoire en Coupe du monde. Il n'y a personne, on ne croise personne. J'ai appris plus de quarante-huit heures après ce qu'il s'était passé !

J'avais bien entendu une discussion. Deux vieux, au bistro, sur le port. Le premier disait : « Ouais, c'est encore un coup des bougnoules. Quand c'est qu'on les renverra chez eux ? Y en a ras le cul, des bougnoules ! » Mais je me suis dit, bon, on est en France, ils discutent. Rien d'exceptionnel. Après, son copain a répondu : « Pfff... Quand je pense que c'est des Arabes qui vont finir le boulot d'Hitler ! C'est dommage, ça va être mal fait. » Là, je me suis dit Waouh ! c'est... euh... Ils sont engagés, sur l'île d'Yeu !

Je n'avais donc pas encore les clés pour comprendre ce qu'il s'était vraiment passé. C'est là que j'ai vu des gens sortir sur le port. Avec des pancartes bricolées : « Je suis Charlie ». Je me suis dit Waouh, c'est vachement émouvant. Charlie, ça doit être un vieux pêcheur de thon qui est mort, ils se mobilisent tous, c'est beau, il y a moins d'indifférence dans les îles.

C'était pas un vieux pêcheur, c'était 17 pêcheurs...

Et puis il y a eu le 11 janvier. J'étais encore là-bas. Je regardais les infos, sonnée. Mais je n'avais pas hyper-casher envie de rentrer pour la marche. C'était trop flippant, vu de loin. Sur toutes les chaînes, ils mettaient de la musique triste sur des images de gens qui pleurent en tenant des bougies ou des drapeaux place de la République. Le lip dub des artistes qui se filment en disant « Je suis Charlie » avec les yeux mouillés. Moi aussi, j'avais reçu un mail me sollicitant pour faire un selfilm « Je suis Charlie ». Mais je n'ai pas réussi à pleurer. Tous ceux qui prennent des antidépresseurs (c'est-à-dire tous ceux qui boivent l'eau du robinet en France) comprendront.

Le jour de la marche, j'ai eu une pote au téléphone. Elle pleurait au milieu de la foule, du côté de République.

« C'est hyper-casher beau. Tout le monde pleure. Attends, je mets mon kit mains libres. On applaudit, tout le monde se met à applaudir ensemble !
— Vous applaudissez quoi ?
— Je sais pas mais c'est hyper-casher émouvant. »

Moi, j'étais devant la télé dans un bar, sur l'île d'Yeu, et j'ai vu qu'ils étaient en train d'applaudir le passage d'une dizaine de cars de CRS.

Une foule qui crie « Vive la France » et « Merci, la police »... Je ne lui ai pas dit. La connaissant, je pense qu'elle aurait été hyper-casher déçue.

Heureusement, ils ont vite repéré la source de toutes nos emmerdes : la radicalisation en prison.

C'est là que les gamins sont contaminés par le mal... En prison, ils rencontrent le grand méchant barbu (lui-même sorti de terre en prison ; c'est une génération spontanée de barbus maléfiques qui pousse en prison, malheureusement. C'est comme ça, c'est scientifique). Donc, le gamin, il est en prison, heureux, il n'a jamais nourri aucun ressentiment contre la France ou quoi que ce soit avant, non, avant de rentrer en prison, le gamin, c'est un honnête braqueur à main armée.

Et paf ! il tombe sur le barbu maléfique, en prison, qui l'hypnotise avec ses yeux en spirale. Le gamin, il sort et il kalachnique tout le monde.

Je trouve qu'on devrait obliger tous les musulmans à prendre un abonnement à vie à *Charlie Hebdo* pour montrer qu'ils se désolidarisent vraiment des attentats. Ce serait la moindre des choses, quand même... C'est normal !

Moi, à ma petite échelle, pour montrer que je me désolidarise totalement de la Shoah et de l'antisémitisme, je n'appelle jamais mes potes juifs le jour du shabbat ! JAMAIS ! D'ailleurs, je n'ai même pas de potes juifs.

Après, on a vu tous ces soldats Vigipirate dans les rues de Paris. C'est étonnant qu'ils ne se fassent pas tirer comme des lapins, ceux-là ! Ils sont en tenue de camouflage motif feuillage vert. Dans Paris... Faut peut-être que l'armée revoie son concept de camouflage, à un moment. Même si on replante des arbres en ville, on les voit, les mecs... C'est pas hyper-casher discret (c'est la dernière vanne hyper-casher, c'est promis, surtout que, je le concède, c'est pas hyper-casher marrant).

Depuis, il y a un gros malaise, alimenté de manière tout à fait malsaine par les politiques et les médias. Moi, je suis islamophile. Je revendique mon islamophilie, je crois que c'est important de le dire. Islamophile, ça finit comme pédophile, mais ça ne veut pas dire que je baise avec des musulmans de manière coercitive et compulsive.

Bon, j'ai une petite préférence pour les circoncis, c'est vrai. Mais ce n'est pas une question de religion. C'est une question gastronomique. Je n'ai jamais compris les gens qui prenaient leur fromage en entrée. C'est tout.

Quoique, encore une fois, tout est question de contexte, bien sûr. Je ne suis pas une intégriste de l'absence de prépuce. Je me rappelle notamment une période heureuse de ma vie où j'étais partie avec mon mec de l'époque pour une grande randonnée en Andalousie. On bivouaquait à la belle étoile. Et là, évidemment, après huit heures de marche, au tout tout début d'une relation, bon, on peut tolérer un peu de *queso de bita*. Tout est question de contexte.

Voilà… Non, je n'ai pas grand-chose d'intelligent à dire sur le sujet, c'est compliqué tout ça. Enfin si, une bonne guerre, ça va faire du bien à tout le monde. Ça fait du bien, les guerres, ça fédère les gens. Si ! Il y a moins de suicides pendant les guerres. Les gens sont plus heureux quand ils sont en guerre. Ils se sentent unis.

D'ailleurs, ma grand-mère me l'a souvent dit : « Vous êtes trop gâtés, il vous faudrait une bonne guerre. »

Dommage qu'elle ne soit plus là pour voir ça. Mais, soyons optimistes, peut-être qu'elle nous voit nous entre-tuer de là-haut.

On se déteste tous !

On utilise même les nouvelles technologies pour éviter le contact avec les autres.
Je ne suis pas technophobe, attention,
c'est super, les nouvelles technologies !
Depuis que tout le monde a des smart-
phones, les gens se sont remis à sourire
dans la rue, dans les transports. Bon, ils
ne te sourient pas à toi, bien sûr, mais on
voit des gens sourire, c'est plus gai ! Ça
fait un peu comme si on était heureux.

Je me suis rendu compte que je gardais
tout le temps mon casque sur les oreilles,
maintenant. Même quand je n'écoute pas

de musique, pour faire rempart à toute velléité de communication. Ou pour faire semblant de ne pas entendre le clochard qui fait la manche.

La pollution sonore des autres, c'est presque réglé, donc. Vivement qu'on ait tous des lunettes Google à réalité augmentée pour la pollution visuelle ! « Google, transforme-moi ce clochard en pirate des Caraïbes ! »

Ça va être chouette, le futur. On vivra dans un monde déglingué de partout, de plus en plus crade, violent, puant. Mais on s'en foutra, parce qu'on aura nos casques, nos lunettes Google, nos plugs de narines pour les odeurs, et roulez jeunesse !

De temps en temps, on entendra quand même un cri, sourd, et on se dira : « Ah… ça doit être quelqu'un qui a plus de batterie et qui découvre le monde tel qu'il est. Dur. »

Et puis, évidemment, on aura aussi un plug dans le cul, qui se mettra à vibrer pile au moment où le désir se fera sentir, pour ne jamais connaître l'insatisfaction.

Messieurs, ce sera la fin de la pathétique branlette devant YouPorn. L'ère de la réalité augmentée. Il suffira de télécharger l'appli Bonnasse dans les lunettes Google. Tu mettras tes lunettes avant de baiser ta meuf, et même si elle n'est plus très fraîche, ben toi, tu t'en foutras, parce que tu seras en train de baiser Rihanna. *What else ?* D'ailleurs, tu pourras même te télécharger George Clooney derrière si tu veux te faire ramoner l'usine à rochers Suchard en même temps.

Oui, le vivre-ensemble, c'est devenu compliqué.

Déjà à deux, on n'y arrive plus. Le couple, en ville, au-delà de trois mois...

Mais que voulez-vous ? L'autre est bourré de défauts, comparé à nous.

Moi, je suis seule. Enfin, je vis seule. Enfin, je suis seule et je vis seule, et je suis célibataire.

Pas depuis longtemps. Je sors tout juste d'une relation avec un pervers narcissique. Enfin, c'est ce qu'on dit maintenant quand on s'est fait larguer.

Et c'est un peu dur, là. J'ai eu 37 ans il n'y a pas longtemps et je sens que j'ai basculé dans cette catégorie de nanas un peu flippantes : 37 ans, célibataire, toujours pas d'enfants. Des ovaires qui doivent ressembler à François Hollande. Toutes mes copines ont deux, voire trois gamins, ça y est, les jeux sont faits.

Bien sûr, il y a des côtés positifs. C'est vrai que moi, contrairement à mes copines qui ont eu la chance de donner la vie, je n'ai pas en permanence un monstre qui bave entre les pattes. Je ne parle pas de leur gamin, là… Moi, je peux toujours me taper un Asiatique sans qu'il ait l'impression d'être perdu à Châtelet. Et je ne fais pas pipi dans ma culotte quand je rigole un peu fort.

Voilà, à part ces deux trucs vraiment hyper-casher cool (allez, un petit dernier pour la route), ma vie, c'est de la merde.

Et encore, je suis gentille quand je dis ça parce qu'en vérité je suis tout le temps constipée… Donc ce n'est même pas de la merde, ma vie. Ma vie, c'est un fécalome[1].

Ah si ! Un autre point positif à noter quand on se fait larguer du jour au

---

1. Le fécalome, pour ceux qui l'ignorent, c'est la partie de matière fécale qui durcit au niveau du rectum et qui empêche l'évacuation des selles. Exemple : « Je ne comprends pas, ça ne rentre pas. Tu dois avoir un fécalome. On réessaiera demain. Bonne nuit, ma chérie. »

lendemain après cinq ans de relation, c'est la perte de poids. Pour ceux qui en ont besoin, c'est extrêmement efficace ! Six kilos en quinze jours. Évidemment, je ne garantis pas la fermeté. Ça va très très vite, la peau n'a pas le temps de comprendre. Ça ne se voit pas quand on est habillé, mais en maillot, sur la plage, il faut prier pour qu'il n'y ait pas trop de vent, sinon c'est moche.

Ceci dit, pour les adeptes des sports extrêmes, ça peut être un atout, ça permet de faire du wingsuit sans costume. Pratique aussi en cas de crash aérien, on saute par la sortie de secours : « Salut les losers ! On se retrouve en bas ! » Tu peux même filmer le crash en planant à côté et revendre les images à Pujadas. Tu fais l'ouverture du 20 heures : « Et tout de suite, ces images à la fois terrifiantes et exceptionnelles du crash de la Lufthansa prises par cette étrange créature solitaire qui se surnomme elle-même la céli-Batwoman. »

Quelque temps après ma rupture, je suis partie en Sardaigne, seule, pour me requinquer. Tous mes amis me disaient (enfin... ma copine me disait...) : « Blanche, il faut que tu t'occupes de toi, chouchoute-toi, doudoune-toi ! Tu devrais te faire une semaine de spa dans un bel endroit. »

J'ai obéi.

Ah ! ça, je me suis bien doudounée ! Les quatre premières nuits, je n'ai pas dormi. J'avais chopé un énorme coup de soleil dans le dos, en haut, au milieu. L'endroit qu'on ne peut pas atteindre pour y mettre de la crème quand on est seul. Le coup de soleil du célibataire. Alors, un conseil : si vous partez seul à la plage pour vous remettre d'une rupture, ne faites pas l'erreur d'emporter des robes dos nu. Déjà qu'aller dîner, seul, dans la petite ville balnéaire au milieu de tous les couples qui sortent de leur sieste crapuleuse, dégoulinants de crème et de bonheur, c'est un supplice, mais quand en plus, de dos, tu ressembles à Schumacher qui vient de se réveiller de sa sieste... ça vire carrément au tragique.

J'étais dans un hôtel-spa, donc ! C'était la première fois que j'allais dans un vrai spa.

Eh bien, c'est sinistre, les spas.

D'abord, c'est en sous-sol, il n'y a pas de fenêtre, la même musique dans toutes les pièces. Enfin, « musique »... Ils passent en boucle une espèce de suite d'accords mineurs super lente, mêlée avec des bruits de chutes d'eau, t'as l'impression d'être bloqué dans un ascenseur géant, c'est flippant.

Et tout est dans la pénombre. Non, vraiment : entre les pièces vides et froides, la grosse table de massage au milieu, super haute, rectangulaire, recouverte d'un drap qui tombe jusqu'au sol, les bougies et le côté très solennel, limite obséquieux, des employés qui te conduisent d'un endroit à un autre, dans un silence très gênant, en ne te guidant que par gestes, ce n'est pas du tout reposant, c'est hyper angoissant. À tout moment, j'avais l'impression qu'on allait me demander : « Voulez-vous qu'on dise quelque chose de particulier à propos de votre papa avant de procéder à la crémation ? »

Et on t'oblige à te balader en peignoir, à porter un string en papier crépon et une charlotte sur la tête. T'as l'impression que tu vas passer au bloc. Comment tu peux te détendre dans ces conditions ? J'avais peur de fermer les yeux pendant les massages. Je me disais : « Euh, si je m'endors et que je me réveille avec un rein en moins et une grosse cicatrice dans le dos, comment ça se passe ? C'est pauvre, la Sardaigne ! »

C'est une fausse bonne idée, la formule hôtel-spa toute seule quand tu viens de te faire larguer. Je suis désolée mais quand, dans le couloir, tu croises ton reflet dans un miroir, le visage rouge et bouffi par le hammam, en chaussons-peignoir à 15 h 30, t'as du mal à te persuader que ta vie est sur le point de prendre un nouveau départ.

Et puis, socialement, je ne peux pas « profiter » dans ces endroits de luxe. C'est dû au contexte atypique dans lequel j'ai été élevée. J'ai grandi dans un confort bourgeois total, banlieue parisienne riche, pavillon-jardin, mais j'ai été élevée par des parents communistes adorateurs de Lénine qui comptaient les jours qui nous séparaient du grand soir. Vous voyez à peu près le problème, c'est comme si on te plantait une hache pile au milieu du crâne à la naissance.

Ça s'appelle l'éducation paradoxale et ça débouche sur la schizophrénie, en général. T'es habitué au confort matériel, mais aussi dressé pour culpabiliser de vivre dans ce confort. Résultat : impossible de profiter d'un endroit où des individus sous-payés sont « à votre service, pour votre bien-être ». (On ne parle pas assez de ce problème, je crois… Je ne sais pas si beaucoup de gens sont en mesure de comprendre l'incommensurable souffrance que cela génère de ne pas pouvoir profiter pleinement dans un spa de luxe, donc je me permets d'insister.) Il faut bien comprendre ce paradoxe : j'ai envie de me faire masser, ce besoin me paraît légitime, il cadre parfaitement avec le confort dans lequel j'ai été élevée. Mais je suis parasitée pendant le massage : je me rends compte qu'une prolétaire est en train de se péter le dos pour palper mon corps déjà en parfaite santé, dopé aux produits bio hors de prix. Du coup, j'ai honte. J'ai honte parce que la pénibilité de son travail justifierait que ce soit elle qui se fasse masser, et au lieu de ça, elle est en train de me masser, moi, pour un salaire de misère, parce que j'estime que j'en ai besoin pour soigner ma dépression post-rupture. Mais pour elle, prendre le temps de faire une dépression, c'est déjà s'occuper de soi, et vous remarquerez que, encore une fois, ce n'est pas elle qui se plaint, c'est moi ! En gros, je n'arrive pas à en profiter parce que je culpabilise et en plus, sommet de la connerie, je culpabilise de culpabiliser. Résumons tout cela en une phrase : je suis une enfant de soixante-huitards, autrement dit une conne dans un monde d'enculés.

Dans ce genre de situation, pour tenter de dissiper mon malaise, je développe des stratégies visant à court-circuiter cette situation de domination sociale, parce que je ne veux surtout pas que la prolétaire me mette dans le même sac que les autres clientes, à savoir des bourgeoises venues se faire beurrer la raie sans culpabiliser. J'aimerais pouvoir lui dire directement : « Hé ! tu sais, moi, je suis pas une bourge comme les autres tu sais, moi, c'est *popolo bella ciao resistanzu* et tout… » Mais je ne peux pas, les pauvres n'aiment pas les riches qui font semblant de se rabaisser à leur niveau. Alors je lui parle, je lui pose des questions sur elle, sa vie, ses conditions de travail… Des fois, je sens que ça lui fait plaisir, elle répond et là je kiffe, là je me dis, t'es un putain d'ange, Blanche, personne d'autre que toi ne ferait ça pour elle ! Tu pourrais profiter égoïstement de ton massage que t'as payé, eh bien non, toi, tu t'intéresses à elle, gratuitement ! Un ange ! Alors je ne profite pas directement du massage, mais il y a quand même un bénéfice, une sorte de branlette de gauche...

Ça renarcissise un peu.

J'en avais besoin.

C'était la première fois que je me faisais larguer, c'est atroce !

Je ne comprends pas, j'ai fait tous les efforts pour que ça fonctionne bien. J'étais à fond dans la communication. C'est censé être la clé de la longévité des couples, ça, la communication. Théorie de merde, ouais ! Vraiment, il y a des gens qui pensent que, pour rester amoureux le plus longtemps possible, il faut parler des problèmes le plus souvent possible ? Non, théorie de merde, la communication !

Regardez nos grands-parents. Ils ne se parlaient pas, ils ne se séparaient pas.

Ils n'étaient pas obsédés par cette idée de bonheur et d'épanouissement individuel non plus.

Parce que c'est ça dont il s'agit quand le mec te dit un jour : « Ouais, faut qu'on se sépare, j'me sens pas libre dans la relation. »

Ben non, connard, c'est la définition du couple, en fait. Les gens accrochent des cadenas sur les ponts pour symboliser leur amour. Et ils jettent la clé dans la Seine. Tu ne t'es jamais demandé pourquoi ? Mais si tu penses que ça sera mieux avec quelqu'un d'autre, vas-y, va reproduire le schéma avec quelqu'un d'autre.

Au moins, pour une fois, il m'aura écoutée.

Je ne veux pas rentrer dans un débat théologico-darwinien stérile, mais si je tenais le connard qui a engendré l'homme et la femme... Lui, c'est un vrai pervers, au sens psychiatrique du terme. Parce que créer deux êtres, l'homme et la femme, les deux avec un besoin fondamental de copuler et une incompatibilité psychologique totale, s'il n'y a pas franche volonté de nuire, je ne sais pas ce qu'il y a !

Je suis en boucle, c'est comme ça quand on se fait larguer, je voudrais comprendre pourquoi je me suis fait larguer. Je voudrais une explication, c'est tout !

Pourquoi ? Simplement parce que je l'ai totalement détruit psychologiquement et que, maintenant, il ne pourra plus jamais avoir confiance en lui ? Bah non, je suis désolée, ce n'est pas une raison pour larguer quelqu'un. Parce que ce n'est pas comme s'il avait été nickel quand je l'ai eu au départ. Non non. Sa mère avait déjà fait la moitié du boulot mais, bien sûr, elle, par contre, Madame, on l'aime jusqu'à sa mort ! Non, ce n'est pas possible d'être larguée pour ça. À un moment, il faut assumer sa condition d'homme ! Je vous rappelle que c'est pour ça que vous avez deux couilles : votre mère en coupe une, votre femme coupe l'autre ! C'est la nature. Ce n'est pas nous qui avons inventé le bordel, nous, on suit les pointillés, c'est tout.

La prochaine fois, je vais faire comme avec les chats, je le prendrai déjà castré. C'est plus cool, un chat castré. Si c'est toi qui l'emmènes chez le véto, après, il t'en veut pendant des mois !

C'est pathétique de revenir sur le marché de la séduction à 37 ans ! Il n'y a plus de romantisme. On ne cherche plus le grand amour. C'est fini, on ne cherche plus l'âme sœur. On cherche l'âme seule. S'il en reste.

Et puis nous, les nanas dans ma situation, on voudrait toutes tomber sur le mec de 40 ans qui n'a pas encore trop de fantômes dans le placard, qui est encore un peu frais, affectivement parlant. Mais le mec de 40 ans qui n'a pas eu de relation suffisamment longue pour s'être fait coller des mômes et qui est encore dispo... A priori, on est sur un gros dossier. Ou un micro-pénis. Ce qui, paradoxalement, constitue aussi un gros dossier.

Si je rencontre un mec de mon âge, il aura forcément eu le cœur brisé quatre fois ! C'est pas drôle, y a plus rien à casser.

C'est comme si Axl Rose, au sommet de sa gloire, arrivait dans une chambre d'hôtel où tout était déjà détruit ! Qu'est-ce qu'il fait ? Eh bien, il s'emmerde ! Il trouve un petit bout de moquette encore clean, il pisse dessus, mais le cœur n'y est plus, il passe une soirée de merde !

Pourquoi pensez-vous qu'il y a de plus en plus de cougars ? Parce qu'on veut des cœurs innocents, on veut briser des vies, nous !

Et puis il y a ce phénomène : en approchant la quarantaine, on est beaucoup plus lucide sur la comédie humaine et ça, c'est un gros problème pour continuer à jouer au jeu de la séduction.

L'autre jour, je buvais un verre avec un mec. Il ne s'était rien passé entre nous, mais il y avait une tension sexuelle évidente. Disons que l'issue de la soirée ne faisait pas grand mystère. Follement romantique, déjà... Mais on jouait le jeu, pour s'ambiancer un peu. Et le mec jouait à monsieur Parfait. Ce qui n'est pas désagréable en soi, quand c'est fait avec finesse. Mais là, le mec me dit : « Je crois qu'un des trucs que je préfère dans la vie, c'est faire des massages. Je pourrais faire ça toute la journée, tu me files des huiles essentielles, des bougies, une musique douce, et c'est l'autoroute du kif, je masse je masse je masse... Mais toi, t'aimes bien te faire masser ou pas du tout ? »

C'est terrible quand un con te prend pour une conne. Comme si je ne savais pas qu'une fois qu'on aurait baisé, le massage allait devenir une monnaie d'échange. Les mecs adorent faire des massages la première semaine, on le sait ! On est comme un tube de pommade, avec la posologie sur le dos : « Masser jusqu'à pénétration ».

Faut arrêter, on est au courant que l'affirmation « J'adore faire des massages » n'est valable que pour deux massages spontanés. Peut-être trois, si le mec est vraiment dégueulasse et qu'il doit lutter un peu plus pour être accepté, mais guère plus.

Je ne veux pas tomber dans les clichés sexistes du genre : « Les hommes et les femmes, c'est différent et en plus c'est pas pareil », mais il faut reconnaître que, là-dessus, les femmes sont moins hypo-crites et un peu plus classes. Je pense qu'aucun homme ne s'est jamais fait dra-guer par une nana qui lui aurait dit : « Je crois que le truc qui me fait le plus kiffer dans la vie, c'est sucer une bonne bite ! Je pourrais faire ça toute la journée. Moi, tu me mets une bite dans la bouche, un coussin sous les genoux, un match de foot, et c'est l'autoroute du kif, je suce je suce je suce... Mais toi, t'aimes bien qu'on te suce ou pas du tout ? »

On est moins hypocrites parce que, évidemment, la pipe aussi devient une monnaie d'échange. Qui vous coûtera deux massages.

Quoique plus, d'ailleurs, car la pipe, dans un couple, est une arme de négociation majeure. Une des données de base dans la formule qui permet d'évaluer l'espérance de vie d'une relation.

La longévité d'un couple se calcule au moyen d'une formule mathématique très simple.

$$\text{Longévité d'un couple} = \frac{\text{embrouilles} - \text{pipes} \times \text{peur d'être seul}}{\text{nombre de dimanches en famille}}$$

Sachant que la moyenne se trouve autour de deux ans et demi. Au-delà de cette durée, on n'a pas de formule puisqu'il ne reste plus que la peur d'être seul.

Non, vraiment, la pipe est un levier formidable dans une relation.

Un mec normal, je ne parle pas de mon ex, mais un mec normal, pour qu'il reste, c'est relativement simple : tu le fais chier, tu le suces, tu le fais chier, tu le suces. Il reste !

Et même si tu le fais chier, chier, chier, tu le suces, suces, suces, il reste !

D'ailleurs, ils ont une façon très claire de nous le faire comprendre. Quand ils frisent l'overdose d'embrouille, ils nous disent : « Là, tu me pompes vraiment ! » Ce n'est pas du présent de l'indicatif, c'est de l'impératif. C'est le dernier appel de phares avant qu'il se casse. Il faut bien l'entendre à ce moment-là, et il ne faut pas avoir trop bouffé avant parce qu'il faut y aller.

Tiens, puisqu'on parle de fellation, j'aimerais évoquer un point qui pose vraiment problème : serait-il possible, Messieurs, d'arrêter de nous poser la main sur la tête en exerçant une pression comme pour nous indiquer le sens de la suce ? C'est très humiliant. On le sait, dans quel sens il faut aller. C'est simple ! Il y a un cylindre, il y a un trou en forme de rond, même un singe trisomique de

4 ans sait dans quel sens aller ! Avez-vous vraiment peur qu'on vous suce en faisant de grandes embardées sur la droite et sur la gauche ? Personne ne suce comme ça.

À part peut-être Gilbert Montagné ou Stevie Wonder, mais c'est assez rare de se faire sucer par un pianiste aveugle.

Je lis beaucoup en ce moment. C'est un des rares avantages de la solitude forcée. On se cultive un peu. Pas des romans. Je n'ai jamais su comment me positionner par rapport à une histoire qui ne parle pas de moi. C'est aussi pour ça que je n'ai pas beaucoup d'amis. Je souffre de la solitude, mais je ne veux pas solliciter mes relations parce que j'ai peur d'être prise au piège et de m'ennuyer. C'est sans issue pour moi. Je n'ose pas risquer de faire perdre la face à mon interlocuteur en manifestant mon désintérêt, mais je suis rongée par l'ennui et le sentiment de perdre mon temps. C'est le paradoxe de l'égocentrique polie. C'est la même chose avec les romans : les histoires des autres ne m'intéressent pas.

C'est pour ça que je ne lis que des essais. Parce que j'ai l'impression que c'est quelqu'un qui me parle de moi. Quand cette personne m'emmerde, je ferme le livre, l'auteur ferme sa gueule et cette personne ne s'en trouve pas blessée puisque c'est un livre. J'ai découvert les écrivains féministes récemment, notamment Simone de Beauvoir. J'adore ! C'est marrant, je n'étais pas du tout féministe à la base, ça m'agaçait même un peu, le féminisme. J'ai souvent eu l'impression que le féminisme était juste un truc que les femmes avaient inventé pour ne pas s'ennuyer après qu'on leur avait donné des machines à laver et qu'elles n'avaient donc plus rien à faire.

C'est dans cet état d'esprit que j'ai abordé Simone de Beauvoir. Et elle m'a retourné le cerveau. Et ça m'a fait peur. Je me suis aperçue que mes croyances n'étaient pas du tout solides, que j'étais hyper-casher influençable. J'ai lu deux bouquins ; maintenant, je suis à fond ! C'est pour ça que je me dis qu'il ne faut pas que je lise *Mein Kampf*.

On n'est plus très lucide quand on est en couple. On en oublie le côté animal, irréfléchi et instinctif. Les animaux, dans la nature, quand ils vivent en couple, c'est pour survivre. Les pingouins, par exemple, c'est pour se protéger du froid. Nous, on a des radiateurs. Si on y réfléchit, le couple est inutile.

À aucun moment, on n'est conscient que le couple, ce ne sont que deux solitudes qui vivent sous le même toit, alors que ce n'est que ça. Quand on n'a pas d'enfants, en tout cas.

L'autre jour, j'étais au supermarché dans le rayon des pâtes... Et un couple est arrivé dans le rayon. Le mec regarde la nana, tout sourire, soudainement émerveillé, comme s'il venait d'avoir une idée géniale. Il lui dit : « Ça te dit qu'on se fasse des pâtes, ce soir ? » La nana lui répond, tout d'un coup hyper enthousiaste elle aussi : « Ouais ! » J'étais sidérée. Des pâtes ! Le mec n'a pas dit : « On se fait des carbonaras » ou « Allez, doudou, ce soir, j'te fais mes bolognaises ! » Non. Des pâtes ! Juste des pâtes. Ce n'est pas un repas dont l'évocation émerveille, normalement. C'est triste, des pâtes sans rien. Des pâtes tout court, des pâtes au gaz, c'est le repas du solitaire qui veut investir le moins de temps possible dans une activité qui, quand on est seul, devient presque sordide. Manger seul, c'est très souvent remplir une fonction vitale et c'est tout, remettre du charbon dans la chaudière, ingurgiter des calories pour survivre. On ne mange pas pour le plaisir, quand on est seul.

Ces deux personnes sont aussi seules que moi, sauf qu'elles se font croire autre chose. Alors, d'accord, il y a des jours où je suis tellement désespérée d'être seule qu'il m'arrive de prendre le métro pour aller nulle part, juste pour la minute et demie de contact humain entre deux stations, avec même ce micro-fantasme de rencontrer quelqu'un, c'est vrai. Mais je suis lucide, je sais où j'en suis.

Là, ces personnes se faisaient vraiment croire que c'était génial de se faire des pâtes. C'était fou. La situation était folle, comme dans les pubs où les acteurs sont bien trop enthousiastes par rapport à la situation.

Quand plus personne n'arrivera à vivre en couple, quand la misanthropie sera généralisée et la survie de l'espèce sérieusement menacée par la baisse de la fécondité, il y aura des campagnes de pub pour le couple. Un supermarché, un homme, une femme. « Ça te dit qu'on se fasse des pâtes ?

— Oh ouais ! »

« Le couple, partagez votre solitude avec quelqu'un. » Et là, Don Camillo surgira du rayon en chantant : « Des pâtes, des pâtes, oui mais des pâtes à deux ! »

Je me branle énormément en ce moment. Qu'est-ce que je me branle ! Enfin, pour une femme, je veux dire. Parce qu'en fait, je me branle comme un homme. Deux fois par jour au moins. Enfin, non, pas comme un mec d'ailleurs. C'est très différent, la masturbation pour les hommes et les femmes. Déjà, les femmes, pour s'exciter, elles s'imaginent plutôt des situations où les personnes en présence sont consentantes.

Mais je comprends pourquoi les mecs se branlent si souvent, maintenant. C'est une forme d'autonomie extraordinaire, la branlette. Déjà, quand tu te branles, t'es pas obligé de faire jouir ta main ! Et pour les femmes, la branlette, c'est la certitude d'arriver à ses fins. Ça n'arrive jamais que ta main s'arrête toute seule au bout de cinq minutes : « Oooh, désolée, j'ai joui. Laisse-moi vingt minutes. File-moi l'ordi, je vais regarder une vidéo sur PornMoufles, ça va revenir plus vite ! »

Je ne regarde pas de vidéos. J'aimais bien les plans larges, moi. Ils se sont trop rapprochés. Avec le matos caméra qu'ils ont maintenant, on dirait des coloscopies, c'est dégueulasse. Je préfère faire travailler mon imagination. Quand tu te branles, tu peux te taper qui tu veux dans ta tête. C'est bon pour l'estime de soi. Enfin, j'ai arrêté d'imaginer des trucs avec les gens de mon entourage parce que j'ai fait tout le monde, ça devient gênant. Quand tu commences à mouiller chez le boucher, c'est qu'il est temps d'ouvrir un peu ton horizon...

Maintenant, j'imagine des situations avec des gens connus que je ne connais pas.

L'autre fois, j'imaginais Mimie Mathy en train de brouter le minou de Scarlett Johansson. Scarlett était debout, et Mimie aussi, entre ses jambes. Et je me suis dit, tiens ! c'est marrant d'imaginer la sexualité des personnes de petite taille. Du coup, j'ai imaginé le nain de *Game of Thrones* en train de sucer Johnny Depp et ça ne m'a pas du tout excitée. Au début, je ne comprenais pas pourquoi je bloquais, et puis j'ai réalisé. Parce qu'en fait, moi, je suis hétéro. Pour les hétéros, deux femmes qui font du sexe ensemble, ça peut être un objet de fantasme, mais deux mecs ensemble, non.

Simone de Beauvoir avait une théorie là-dessus. Simone disait que l'homosexualité féminine nous paraissait beaucoup plus naturelle et donc beaucoup plus acceptable socialement parce que le point de départ de la vie de chaque être humain, et donc aussi des femmes (je précise pour Daesh), c'est un rapport charnel très intime avec une autre femme, à savoir notre mère.

Et c'est vrai, toutes les femmes ont commencé leur vie la tête dans une chatte ! Et on a toutes peloté, caressé, léché les seins de nos mères avec la plus grande volupté pendant des mois et des mois, au début. Donc, une femme avec une femme, c'est naturel, c'est logique, c'est dans l'ordre des choses. Et, par extension, ça peut être excitant. Mais le problème, c'est que les petits garçons n'ont pas commencé leur vie en suçant la bite de leur père, d'où cette impression que deux hommes ensemble, c'est contre nature. C'est tout con. Si j'ose dire.

Voilà… c'est pas sorcier, on sait donc ce qu'il faudrait faire pour que l'homosexualité masculine soit mieux acceptée. Je lance ça comme une suggestion aux jeunes pères, comme ça, on ne pourra pas m'accuser de toujours tout critiquer sans proposer de solution.

C'est bizarre d'imaginer que le truc qui me faisait le plus triper, à une époque, c'était lécher les seins de ma mère. Quand je la vois aujourd'hui. Euh… non ! On peut aller au ciné, si tu veux. Mais pas la tétée, non… D'ailleurs, moi, ce qui me fait peur dans la maternité, c'est bien l'allaitement. J'aurais peur que ça m'excite. En même temps, la nature est bien faite, on a deux bras. Tu peux toujours tenir le bébé d'une main et te toucher de l'autre. « Qui c'est qui va jouir ? Qui c'est qui va jouir ? C'est maman qui va jouir ! »

Mais ce serait bizarre, peut-être.

En même temps, qu'est-ce qui est bizarre ?

On a tous un peu honte de notre rapport au sexe. Comme s'il y avait une norme en matière de sexe. On se sent tous un peu sales par rapport à nos fantasmes, nos désirs. Alors qu'il n'y a pas de norme en matière de sexe ! Le sexe, c'est seulement être sur la même longueur d'onde que l'autre, c'est tout. Même dans les extrêmes : par exemple, t'es branché sadomaso, t'as invité quelqu'un à dîner, ça sonne, tu vas lui ouvrir, à poil, avec un gode-ceinture, et tu lui dis : « Hé, tiens, salut ! Je vais tellement te déchirer le cul que tu pourras plus jamais chier solide. » Ce n'est ni sale ni décadent en soi. Il faut simplement que l'autre soit content du programme que tu lui proposes ! Si l'autre répond : « Hé, salut ! Ah, euh... Ouais, pourquoi pas ! J'allais te proposer un scrabble, mais pourquoi pas, ouais ! », bah tout va bien !

Non, ce qui est gênant dans le sexe, c'est au tout début, quand tu ne connais pas vraiment l'autre, justement. Surtout aujourd'hui, dans le sexe tel qu'on le pratique, sans projet de procréation. Le sexe festif. Des fois, on fait l'amour avec des gens qu'on ne connaît pas. C'est fou de se dire qu'on partage cette intimité, la nudité, avec des gens qu'on ne connaît pas vraiment. Faire l'amour à quelqu'un avec qui tu n'es même pas encore capable d'être à l'aise au resto ! T'es traumatisé à l'idée d'avoir un bout de salade coincé entre les dents devant lui et, deux heures plus tard, t'as son gland entre les amygdales, ses couilles sur le menton et tu fais comme si c'était normal !

D'ailleurs, c'est rare que ça se passe bien, la première fois au lit avec quelqu'un. Parce qu'on ne sait pas ce que l'autre aime, ce qu'il veut. On n'ose pas se le dire. Tous ces moments où tu te demandes : « Euh... Il se fait plaisir ou il essaye de me faire plaisir, là ? »

Les seins ! Les premières prises en main des seins par les hommes sont souvent dramatiques. Ça fait plus de deux millions d'années qu'on couche ensemble et ils ne savent toujours pas nous toucher les seins. Pétrissage, pinçage, tournage, écrasage, mammographie... Les derniers de la classe d'un CAP boulangerie.

Tout à l'heure, je couchais avec un mec, tout était cool et, soudain, il m'attrape un sein et se met à me faire des pichenettes sur le téton ! Des pichenettes ! Il était hyper concentré, il regardait ce qu'il faisait, en tirant presque un peu la langue, comme s'il s'appliquait à exécuter une technique qui avait fait ses preuves et pour laquelle il s'était entraîné des années. C'était effrayant.

Ça a duré super longtemps ! Il était vraiment sûr de son coup.

Alors, une fois pour toutes : les piche-nettes sur les tétons, c'est pas sexy, c'est pas excitant ! Le seul truc que ça fait, c'est envoyer le message que vous matez trop de porno. Moi, je m'en fous, allez-y, matez du porno, mais n'essayez pas de refaire les trucs à la maison, c'est pas *Top Chef* !

Même si la dame, dans le film, quand on lui fait des pichenettes sur les tétons, elle dit : « Oh oui, c'est bon ! Oui ! Continue, je t'en supplie ! », elle n'est pas vraiment en train de kiffer les pichenettes. C'est une comédienne !

Mais si vous ne voulez pas comprendre, peut-être qu'on pourrait vous faire des pichenettes sur le gland, jusqu'à ce que vous saisissiez ?

C'est rare que le sexe soit intéressant quand on ne se connaît pas du tout... C'est même souvent des baises nulles. Sinon, les filles ne porteraient pas plainte.

Moi, j'ai une technique pour rester exci-tée quand le sexe déçoit. Il faut se rabattre sur le psychologique, par exemple dans le cadre d'un rapport bucco-génital raté qui dure un peu trop longtemps. Ça arrive souvent, les cunnis qui foutent le cafard.

J'irai même plus loin que ça : moi qui ai pas mal voyagé, je peux vous dire que les Français sont de piètres cunni-lingueurs. On ne va pas s'appesantir ici sur le pourquoi, qui pourrait faire l'objet d'une autre démonstration socioculturelle passionnante, mais plutôt se focaliser sur la conduite à tenir pour maintenir l'excita-tion sexuelle dans le cadre du cunni raté. Attention, je ne cherche pas à réaliser un tuto-clito. Je parle bien d'une méthode que devrait adopter la personne léchée, pas l'autre. Il ne s'agit pas non plus de faire comprendre à l'autre qu'on se sent mal léchée. On laissera le lécheur dans l'ignorance de notre déception, observant ainsi une règle de politesse élémentaire : on ne fait pas perdre la face à une per-sonne de bonne volonté.

Donc, le cunni est pourri. Quelles que soient les techniques employées par le lécheur, le constat est là : c'est nul !

Moi, dans ces cas-là, je me rabats sur le psychologique. Je me dis : « Bon, je pourrais être en train de faire ma compta, non, il y a quand même quelqu'un qui me lèche ! Bon, mal, mais il y a quand même une personne sur cette planète qui n'a rien de mieux à faire que de mettre des petits coups de langue sur mon clitoris. Il y a moyen de tirer profit de cette situation ! Ça va. T'es pas entassée à 50 sur un zodiac prévu pour 10 au large de l'Albanie. » Et au pire du pire du cunni nul, tu peux toujours te dire : « Eh ben, au moins, après, je serai propre. »

Mais il ne faut pas que ça dure trop longtemps non plus. Ça peut foutre le cafard, le cunnilongus.

À un moment, t'as envie de dire : « Bon, dis donc, t'as pas soif, toi ? Parce que je sais pas si c'est moi qui mouille plus ou toi qu'as plus de salive, mais tu me lèches pas, là, tu m'épiles. »

C'est très important de savoir ce que l'autre aime ou pas. Mais moi, je n'aime pas trop la verbalisation, c'est gênant.

Souvent, les hommes ont envie de parler, ils ne peuvent pas s'empêcher de faire des commentaires, c'est chiant.

En plus, ils chuchotent. C'est absurde. Tu te sens suffisamment à l'aise pour parler de la situation, mais tu chuchotes quand même. T'es en train de me claquer le fiacre, mais tu fais ton timide, c'est contradictoire, jeune homme ! C'est tellement gênant d'avoir à faire répéter, dans le feu de l'action.

« Qu'est-ce que t'as dit ?

— Nan, je dis : tu la sens ?

— Ah ! Ben je la sentais surtout avant que tu la rentres, maintenant ça va mieux !

— Hummm, t'es toute mouillée. »

Oui, bon, ça va ! On n'a pas besoin d'une version pour aveugle, on voit ce qu'il se passe !

Est-ce qu'on vous fait chier, nous ? Non ! Parce qu'on pourrait s'y mettre aussi : « Oh ! t'es dedans t'es dehors, t'es dedans t'es dehors, t'es dedans t'es dehors. » « Tiens ! c'est marrant, ton gland, on dirait la tête de Dark Vador. »

J'évoquais la fellation tout à l'heure : c'est pareil. Chut !

Règle de base, déjà : on ne s'adresse pas à quelqu'un qui n'est pas en mesure de répondre. C'est embarrassant et ça vaut aussi pour les dentistes, d'ailleurs.

Et puis on arrête avec cette question débile : « C'est bon, hein ? Tu l'aimes ? »

Si c'était bon, ça se saurait. Il y aurait des Mr. Freeze saveur bite. Y en a pas. Le blanc, c'est coco !

Remarque, c'est con ce que je dis parce qu'on bouffe bien du surimi, donc pourquoi pas... Mais c'est une fellation ! C'est un acte de générosité, l'acte bucco-génital. C'est surtout bon pour celui qui reçoit. C'est tordu d'essayer de nous faire croire que c'est pour nous que c'est Noël à ce moment-là ! Quand on donne une pièce à un clochard, le clochard ne répond pas : « Hummm, tu kiffes donner aux pauvres, hein ? C'est bon... » Ça n'aurait pas de sens !

Je ne suis pas fan des plans cul. Je crois que je trouve ça triste.

Récemment, j'ai lu dans un magazine un article qui commentait les résultats d'une étude sur les gens qui couchent le premier soir. L'enquête révélait que coucher le premier soir nuit à une relation durable.

On a vraiment besoin d'une étude statistique pour savoir qu'on n'ira pas beaucoup plus loin avec cet inconnu, alors qu'on vient de passer la nuit, surbourrée, à faire des trucs qu'on n'oserait pas proposer à qui que ce soit au bout de quinze ans de relation ?

Le lendemain d'une nuit comme ça, on n'est pas fébrile ni impatient de connaître l'étape d'après de notre relation. C'est pas genre je me réveille, je le regarde dormir et je me dis : « Ah ! c'était chouette cette soirée ! C'est cool, on va se faire un brunch, on va se dire nos prénoms et tout. Tiens ! pourquoi mon ongle est si sale ? »

Non. C'est pas comme ça. En réalité, le lendemain, je fais semblant de dormir en attendant qu'il se casse, et tout ce que j'espère, c'est qu'en rentrant chez lui, il aura un accident et il mourra ! Tant pis pour ses parents, j'm'en fous ! Le seul truc qui compte, à ce moment-là, c'est que le minimum de gens vivants aient le souvenir de ce qui s'est passé cette nuit-là. Donc, non, je ne crois pas qu'on soit à la recherche d'une relation durable dans ce genre de cas.

Les pichenettes, c'était un cas comme ça, du reste. Lui avait été particulièrement bizarre. Il m'avait présenté sa bite sous les yeux : Blanche... ma bite. Ma bite... Blanche... comme s'il me présentait une cousine. Je l'ai recroisé, il n'y a pas longtemps. C'est tellement gênant de recroiser une personne avec laquelle il n'y a eu que du sexe et rien d'autre, ni avant ni après.

Messieurs, arrêtez de nous présenter votre sexe à 7 cm du visage, c'est très gênant. Je comprends le projet, bien sûr : « Plus c'est qu'elle la verra de près, plus c'est qu'elle aura l'impression qu'elle est grosse ! » Mais c'est très gênant. C'est d'autant plus gênant qu'on sait que vous voudriez qu'on vous dise : « Waouh ! Extraordinaire ! Non, vraiment, je peux te dire, j'en ai déroulé, du câble, mais celle-là, elle est belle ! » Mais non, ça, c'est pas possible. On peut dire : une belle panthère, une belle cathédrale, une belle dentition (pas en Angleterre, mais on peut le dire). On ne peut pas dire une belle bite. Une bite, c'est moche, ça ressemble à une jambe de vieille attaquée par des varices.

Peut-être que je pense ça parce que je suis aigrie. Mais je ne crois pas. Je ne sais pas, en fait. Je ne crois pas être aigrie. Je suis surtout effrayée. Des fois, je me dis que si ma situation de vieille fille seule s'installe dans la durée, si je ne trouve personne avec qui fonder une famille, enfin, si je ne trouve personne avec qui attendre la mort, un jour, je mourrai toute seule et personne ne s'en rendra compte ! Peut-être seulement les voisins qui, alertés par l'odeur, appelleront les pompiers qui me retrouveront chez moi, vieux cadavre desséché au milieu du salon, en tenue de fitness, en train de faire des abdos.

Parce que je fais beaucoup de sport. C'est ça, la vie à l'approche de la quarantaine, on arrête tout ce qui était marrant et on essaye de faire tenir debout ce qui reste. J'ai une vie très saine.

J'ai pris le pli après ma rupture, étrangement. Au moment où j'étais au plus mal, je suis tombée dans un trip « vie ultra-saine », « My body is a temple ».

Complètement con, ce réflexe qu'on a de soudainement prendre vachement soin de soi alors qu'on est au fond du trou ! Les gens te le disent, d'ailleurs, quand ils te voient très malheureux : « Prends soin de toi, chouchoute-toi, c'est important ! Pense à toi !

— Oh oui ! T'as raison, maintenant que ma vie est devenue un cauchemar, je vais tout faire pour qu'elle dure le plus longtemps possible. Et je vais me coucher tôt ce soir, comme ça je serai en forme demain matin pour bien profiter de mon petit malheur ! »

J'ai arrêté de fumer, j'ai arrêté de boire. De toute façon, je pense que l'alcool, c'est comme le soleil, on a un capital. Moi, j'étais arrivée à un ratio une murge = un dossier. J'ai dit « Stop ». Parce que les dossiers s'accumulent. Et c'est pas comme les points du permis de conduire. On ne peut pas les récupérer. Une fois que t'as montré ton cul à tous tes potes... bah tous tes potes ont vu ton cul.

Le pire, c'est qu'au moment où tu montres ton cul, t'as toujours l'impression de faire un truc dément que personne n'a jamais fait.

On devrait mettre des photos sur les bouteilles d'alcool pour prévenir des risques, comme sur les paquets de clopes. Mais il faudrait prévenir des vrais risques. Parce que les photos sur les paquets de clopes, on se fout de notre gueule ! Moi, je crois qu'ils mettent exprès des images qui n'ont rien à voir avec les maladies liées au tabac, justement pour que nous ne ressentions pas l'urgence d'arrêter. (Une petite saillie conspirationniste de temps en temps, ça fait toujours du bien.)

Bref, les photos sur les paquets de clopes ne sont pas réellement faites pour nous dissuader. Tenez, le steak tartare avec la moustache d'Asiatique ! C'est vraiment ça qui va nous arriver si on fume trop ? Le pied avec une étiquette accrochée à l'orteil ! « Attention, si vous fumez trop, on va vendre des pieds dans les épiceries ! »

Sur les bouteilles d'alcool aussi, ils devraient prévenir des vrais risques. Mettre un petit texte du genre « Nuit gravement à l'amour-propre... le lende-main », avec une photo d'une nana qui montre son cul dans un bar à Oberkampf par exemple.

De toute façon, je vais recommencer à picoler. Ça y est, c'est bon, ça m'a fait une bonne pause, mais ça suffit. Parce que, bien sûr, c'est vrai, les gueules de bois le lendemain, c'est dur. Tu te réveilles, tu ne te souviens de rien, la mémoire revient par flashs plus ou moins honteux des événements de la veille. Tu pisses de la merde, tu chies de la pisse, tout est compliqué. Mais ne pas picoler du tout, c'est pas vivable non plus ! Je ne vois pas l'intérêt, à long terme, de se réveiller tous les matins avec un souvenir immédiatement accessible et ultra-précis d'une soirée où il ne s'est rien passé.

Ceci dit, c'est une démarche compliquée de revenir dans l'autodestruction une fois que t'es devenue une nazie de la vie saine. J'ai été trop loin dans l'hygiène de vie pour faire machine arrière. Mes nouvelles habitudes sont devenues une seconde nature. Maintenant, si je mange un fruit en fin de repas, j'ai l'impression d'être Amy Winehouse et de déconner grave.

J'ai pris une carte de fidélité à « Bio c'
bon » après ma rupture. C'est drôle d'y
penser maintenant. Déçue par les hommes,
jamais par la société de consommation.

Je fréquentais assidûment les studios
de yoga, aussi.

Mais je me suis mise à avoir peur des
adeptes de la vie saine, les accrocs du
zen, les bouffeurs de graines.

Au début, je les assimilais aux babas
cool. Je me disais : ils ont l'air cool !
Mais pas du tout, en fait. Parce que qui
est en réalité le type qui doit faire deux
heures de yoga par jour pour préserver
son équilibre mental, qui ne boit pas

d'alcool parce qu'il ne veut pas modifier son état de conscience, qui ne boit pas de café parce que ça le rend nerveux, qui ne boit pas de thé après 14 heures parce qu'il ne pourrait pas dormir ensuite ? Qui est ce type, à part un psychopathe qui a peur de déraper ?

Moi, je ne veux pas croiser ce type le jour où le prof de yoga est malade ! « J'ai pas pu faire mon yoga et après, ça a été l'engrenage, j'ai bu un café, mangé une biscotte au gluten, j'ai tué ma femme, je l'ai baisée après. »

Je pense qu'un type qui refuse un Earl Grey passé 14 heures est un homme dangereux.

Faut-il rappeler qu'Hitler était un grand fan de yoga ? Encore un de ses nombreux points communs avec Gandhi... Et Staline aussi : celui-là, il paraît qu'il n'a jamais organisé de massacre de masse sans un petit salut au soleil au préalable. J'ai même entendu dire qu'au moment où il a décidé de liquider toutes les élites polonaises, il était nu en train de caresser un arbre. Faut se méfier des yogis !

Mais bon, à un moment, j'étais suffisamment paumée pour penser que je pouvais me raccrocher à ce mode de vie. Donc, je ne fumais plus, je ne buvais plus, je faisais du yoga, je bouffais du quinoa, j'étais malheureuse comme les pierres, mais je ne toussais plus.

Le reste du temps, j'errais à la Fnac dans le rayon « Développement personnel et spiritualité », avec les autres poubelles de la vie, à la recherche d'un moi-même plus serein.

Je me suis constitué une petite bibliothèque de la honte chez moi, à l'abri des regards. À cause des titres ridicules. *La dépression n'est pas une prison*, *La rupture comme un cadeau*, *Réinventer sa vie*, *La Prière ho'oponopobobo*, ce ne sont pas des bouquins que tu peux laisser traîner sur ta table basse. *Dix exercices pour booster l'estime de soi* : celui-là, tu comprends son titre quand tu arrives à la caisse. Le premier exercice, c'est d'arriver à soutenir le regard du caissier quand tu lui tends le bouquin pour qu'il le bipe et qu'il voit ce que tu achètes.

En même temps, c'est bien, parce que d'habitude c'est la fonction du caissier de te redonner confiance en toi. Si... C'est même la raison d'être du caissier, enfin de la caissière, plus précisément. Ça marche particulièrement bien quand on est au fond du trou, que tout va de travers, quand on a l'impression que le sort s'acharne. C'est la fin de journée, tu cours pour faire tes courses avant la fermeture, tu arrives en sueur à la caisse, il y a la queue, tu te dis « Putain vie de merde vie de merde vie de merde ! » et là, ton regard se pose sur la caissière. Instantanément, soulagement : « Au moins, je suis pas caissière ! »

Alors qu'en réalité, caissière, c'est pas la fin du monde. C'est juste la fin des courses. Mais tout le monde a entendu cette phrase dans la bouche de ses parents : « Si tu ne travailles pas à l'école, tu seras caissière. » Et la caissière aussi l'a entendue. C'est ça qui est terrible, parce qu'elle sait l'effet que ça nous fait de la regarder. Elle sait qu'elle offre à tout le monde quatre minutes de massage de l'estime de soi. Que quand on la voit, c'est comme si notre papa nous tapotait la tête en disant : « Je suis fier de toi, t'es pas caissière ! » C'est un métier magnifique, en réalité. Elle fait du bien aux gens en leur permettant de la salir mentalement. C'est une sorte de pute de l'estime de soi. La seule différence, c'est qu'elle accepte la carte bleue. Sinon, c'est pareil, elle se tape des kilomètres de queues en tirant la gueule.

Donc, si la caissière me méprise un peu quand j'arrive à la caisse de la Fnac un lundi à 15 h 45 avec un bouquin intitulé *Trop intelligent pour être heureux*, c'est de bonne guerre.

Qu'est-ce qu'on trouve dans tous ces bouquins de développement personnel ? Pas grand-chose de plus que dans les pubs pour les baskets. Une injonction : « Sois toi-même ! Trouve-toi, accepte-toi ! » Et des phrases à la con, genre : « C'est le travail de toute une vie d'arriver à se connaître soi-même. »

On arrive même à te faire croire que c'est du boulot de se connaître soi même, qu'il faut lire des bouquins, voir des psys, se faire masser dans des spas, aller en Inde. Faut consommer, en somme.

Mais j'ai un scoop pour vous. On est déjà nous-mêmes ! S'il y a des gens qui pensent être quelqu'un d'autre, c'est une maladie. Pas la peine d'aller dans un spa, ce n'est pas un massage qui fera taire la petite voix.

Non, c'est une arnaque !

Soi-même tout seul à un instant T, ça n'existe pas. On se définit tous par rapport aux gens avec qui on interagit, ou par rapport au lieu, au contexte dans lequel on vit.

Soi-même tout seul, ça n'existe pas ! Même un ermite se définit par rapport aux autres. Un ermite, c'est quelqu'un qui ne veut pas voir la gueule des autres !

Notre caractère, notre singularité n'existent qu'en fonction des autres. Un individu seul qui planerait en orbite dans le néant depuis sa naissance ne pourrait pas se dire : « Moi, je suis quelqu'un de généreux... » Ça n'aurait pas de sens. On a besoin des autres pour penser qu'on a telle ou telle qualité. Pour se dire généreux par exemple, on a besoin des pauvres. On a besoin de regarder son relevé bancaire, de voir HANDICAP INTERNATIONAL PRÉLÈVEMENT MENSUEL MOINS 6 EUROS pour se dire : « Je suis généreux. Le monde est un meilleur endroit grâce à moi. Je fais partie de la solution, pas du problème ! Tiens, je vais me branler, ça fait longtemps ! »

Soi-même, ça n'existe pas ! On remet même en cause le fait que notre identité sexuelle serait déterminée par notre sexe biologique. Comme dit Simone, on ne naît pas femme, on le devient. Ou pas... Il suffit de regarder Frigide Barjot pour s'en persuader.

Soi-même, ça n'existe pas ! Connais-toi toi-même, c'est Socrate. Il n'y a vraiment qu'un Grec né voilà 2 500 ans pour penser qu'on est des entités qui flottent dans l'air.

Et encore, si on prend le sens biblique du mot connaître, « connais-toi toi-même », ça veut dire « branle-toi ». Alors, je comprends, à l'époque, ils étaient en toge, la bite toujours accessible et pas grand-chose à foutre, mais on a évolué un peu, depuis.

C'est une arnaque ! De toute façon, à chaque époque son arnaque philosophique. Il y a 2 000 ans, Jésus nous disait : « Hé ! Allez ! Montez sur cette montagne pour voir si j'y suis ! Vous serez bien surpris ! » Il lui a fallu un ou deux complices évidemment, qui sont redescendus en disant : « Waouh ! Incroyable ! Il était là-haut pendant qu'il était en bas ! On vous jure. Venez, on fait tout qu'est-ce qui dit Jésus, ça a l'air super ! » La fortune de l'Église s'est faite sur UNE phrase : « Va voir là-haut si j'y suis. »

Aujourd'hui, c'est la société de consommation qu'on engraisse avec cette autre phrase : « Va voir à l'intérieur si t'y es ! Et aime-toi, mais mets quand même un peu d'antirides. »

La religion de soi. Trop bien, même plus besoin d'aller à la messe, on est à la fois son prophète et son disciple ! Mais c'est pour ça qu'on n'arrive plus à vivre en couple, parce que l'autre est réticent à l'idée de se convertir à ta « religion de toi », vu qu'il est très content avec sa « religion de lui » à lui, déjà.

Ça mène surtout à la solitude absolue, le culte de soi. On a l'impression d'être libre parce qu'on a réussi à ramener la contrainte dans les relations sociales à un niveau proche de zéro, mais en fait, nous sommes les esclaves de cette liberté. « Savoir se faire du bien », c'est l'enseignement de la modernité. « Il faut savoir se faire du bien. » Combien de fois on entend ça, comme si ça pouvait être le but de la vie ? Non. Le but de la retraite, éventuellement. Pas de la vie.

Parce que je ne suis pas toute seule à me regarder le nombril. On est tous très motivés pour se lancer dans cette introspection permanente.

À tel point qu'on a découvert, récemment, en l'observant sur la durée, je suppose, que notre anus avait tendance à foncer avec le temps. On a inventé une opération de chirurgie esthétique qui consiste à blanchir l'anus des personnes qui trouvent qu'il a trop noirci. Je ne déconne pas, ça s'appelle « l'anus bleaching ».

Il y a des scientifiques en blouse blanche qui se sont observé l'anus en laboratoire, sur une durée déterminée, avec une lumière constante et tout, carré ! Qui en ont déduit que sa couleur évoluait et qui en ont conclu : « Ça va pas, Daniel, là, ça change de couleur, faut leur dire, là. »

Mais qu'est-ce qui se passe ? Je n'ai rien contre les chercheurs a priori, mais il y en a qui cherchent la merde, quand même. Est-ce qu'on va nous distribuer des nuanciers de couleurs de trous de balle dans les journaux féminins pour pouvoir checker s'il faut aller se faire bleacher ou si on a encore un peu de marge ?

C'est marrant, d'ailleurs, parce qu'à l'opposé de ce trou, il y a la bouche. Et la bouche, elle, au contraire, a tendance à se décolorer. La bouche pâlit avec l'âge. Alors moi, je dis : à quand l'intervention 2 en 1 ? Au milieu de la vie, on pourrait subir une intervention au cours de laquelle on intervertirait les deux orifices, tout simplement, et c'est reparti pour un tour ! En plus, moi, avec mes hémorroïdes chroniques, je n'aurais pas besoin de faire de collagène. Naturellement pulpeuse !

Trouve-toi, accepte-toi, aime-toi... Et les autres ? Alors, là-dessus, ils sont catégoriques dans les bouquins : « Si tu ne t'aimes pas toi, tu ne peux pas aimer les autres ! » OK, mais alors si s'accepter et s'aimer soi-même, c'est le travail de toute une vie et que c'est seulement après qu'on peut aimer les autres, alors peut-être qu'il vaudrait mieux qu'on s'éparpille tous dès la naissance, non ? Parce que ça devient irrespirable, là.

L'autre fois, dans la rue, je fumais. Un SDF arrive. Il me dit : « Excuse-moi de te déranger, premièrement je suis pas Roumain, deuxièmement est-ce que t'as une clope ? » Je lui donne une clope et je réalise après. Je me dis, merde, c'est super raciste. Je n'ai même pas relevé sur le coup. On est tous en train de devenir de plus en plus racistes. Mais c'est pire que ça en fait, on est tous complètement misanthropes, ça y est ! Le racisme n'est qu'un mini-symptôme de la misanthropie généralisée.

On se déteste tous ! Haïr est devenu un besoin physiologique.

Et pour pouvoir haïr les autres sans mauvaise conscience, on a un truc génial : les derniers arrivés sur le territoire. Les derniers arrivés sur le territoire sont toujours plus sales, plus méchants, plus poilus, plus bêtes que les autres. En ce moment, ce sont les Roumains.

À la prochaine vague d'immigration, on ne pourra plus se permettre de dire des trucs horribles sur les Roumains. Les prochains, ce seront les réfugiés climatiques. On n'en parle pas, mais une fois que toute la glace aura fondu au pôle Nord, toute la banquise va débarquer chez nous.

Pour l'instant, on fait semblant de s'émouvoir parce qu'il y a des ours polaires qui se noient, parce qu'on préfère ne pas voir que des villages entiers d'Esquimaux survivent en dos crawlé depuis dix ans, mais on a tort parce qu'ils vont finir par arriver et ils vont être véners.

Ils rigoleront bien au service de l'immigration choisie !

« Qu'est-ce que vous pensez savoir faire qu'un Français ne saurait pas ?

— Des maisons en glaçons ! »

Allez hop ! ça dégage ! Ils vont se retrouver à la rue. Médecins du monde leur filera des tentes igloos, ça leur rappellera le pays. Heureusement qu'il y a les tentes igloos pour les clochards, c'est plus hygiénique. Le SDF meurt dans sa tente, les éboueurs passent et ils n'ont plus qu'à ramasser le sac-poubelle.

Quoique, là, ça va changer ! Parce que les Esquimaux, ils seront résistants à l'hiver. Fini l'écrémage de Noël bien pratique pour limiter la prolifération, ça va être une cata ! Il y en aura partout. Assis devant les plaques d'égout en train de pêcher des grecs, devant les Monoprix à faire la manche en essayant d'attendrir le monde avec leurs bébés pingouins. Les mémés vont tout de suite sortir leurs chéquiers.

Une fois que les Esquimaux seront là, il va y avoir un glissement de catégorie, ils prendront la place des Roumains sur qui on ne pourra plus dire autant de saloperies. Les Roumains gagneront le statut de Chinois. Et ainsi de suite ! Et puis les Français, bah les Français resteront des cons, qui s'en donneront à cœur joie sur les Esquimaux.

D'ailleurs, les Esquimaux seront saoulés qu'on les appelle les Esquimaux.

« Putain, arrêtez les gars, on n'est pas des Esquimaux, on est des Inuits ! Ça veut dire "être humain" en plus, c'est un beau nom, "Inuit" ! En fait, on est tous des Inuits, quoi !

— Pardon ? Écoute-moi bien, Mr. Freeze, on se ressemble pas et on se ressemblera jamais, d'accord ? Moi, je suis normal, tu vois. Toi, avec ta capuche pleine de poils et tes grosses lèvres, on dirait mon cul quand j'ai bouffé indien ! Et si ça me fait marrer de t'appeler Miko, ben j't'appellerai Miko ! »

Non, je crois que l'Homme est fondamentalement mauvais, alors à quoi bon se faire chier pour se connaître à fond si c'est pour constater qu'on est un gros con ?

Ça serait peut-être plus utile de vendre des bouquins qui nous donneraient des techniques pour cacher ce qu'on est plutôt que pour se trouver, non ?

La preuve ultime que l'homme est mauvais : je ne sais pas si vous avez remarqué, mais quand on fait une tentative de suicide le dimanche après-midi, quand on est bien assis en tailleur devant la petite montagne de médicaments, il y a souvent ce moment où on décide de ne pas le faire. Il y a *toujours* ce moment, d'ailleurs, sinon je ne serais pas là pour en parler.

Mais qu'est-ce qui te fait changer d'avis ? Eh bien, j'ai étudié la question. Ce qui t'empêche de passer à l'acte, c'est que tu prends conscience que si tu le fais, après, c'est vraiment fini ! Tous les fantasmes morbides que tu es en train d'imaginer : la découverte de ton corps inerte, la sidération d'untel ou untel à la nouvelle de ta mort, qui va lire la lettre que tu auras laissée, l'enterrement, qui va pleurer, toutes ces choses qui te réjouissent parce que tu as le goût du drame, si tu le fais vraiment, tu ne seras pas là pour les voir. En gros, c'est quand tu réalises le caractère un peu définitif de la mort que tu renonces au suicide.

C'est donc au moment où l'Homme est au maximum de ses capacités de cynisme, de volonté consciente de nuire aux autres et de les rendre malheureux qu'il fait le choix de la vie.

Si on était naturellement animé de bons sentiments à l'égard du monde et des autres, c'est justement là qu'on devrait se buter : au moment où on obtient la plus belle preuve de notre profonde volonté de nuire. C'est là qu'on devrait s'empresser de débarrasser la planète de notre personne. C'est l'altruiste qui se suicide vraiment.

Disons pour résumer que si on vivait dans un monde parfait peuplé d'hommes bons, il y aurait beaucoup plus de suicides réussis.

C'est pour cette raison que j'ai toujours échoué dans cet exercice. Aussi parce que je voudrais perdre quelques kilos et me faire refaire les seins avant de mourir. Je ne veux pas que les pompiers se foutent de ma gueule quand ils me trouveront. J'aimerais, dans la mesure du possible, être un cadavre un peu sexy.

Mais c'est fou, quand même ! Quand j'étais ado, j'étais surexcitée à l'idée de la vie. J'étais persuadée que ma vie allait être dingue, qu'un destin extraordinaire m'attendait ! Au milieu d'une foule, je me disais que j'étais la seule à avoir un destin aussi extraordinaire, je regardais les autres et je me demandais sincèrement « Comment ils font pour avoir envie de vivre leur vie sans cette sève magique qui coule dans mes veines à moi ? » Je croyais même que ma vie était filmée, tellement elle était géniale. Aujourd'hui, je me rends compte qu'il ne s'est rien passé d'extraordinaire. A priori, tout ce qui aurait pu se passer de dingue aurait déjà dû se passer. C'est rare qu'on entame une carrière de rock star ou qu'on devienne soudainement un génie de la biologie moléculaire passé 40 ans.

C'est terriblement décevant. C'est tout ? Vraiment ? C'est tout ce qui va se passer dans ma vie ? Si je résume : manger mes crottes de nez, jouer à cache-cache, prendre de la drogue, faire n'importe quoi, arrêter de prendre de la drogue, faire du sport, traumatiser un ou deux mecs, avoir les seins qui tombent, arrêter de manger mes crottes de nez et mourir ?

Décevant. Je suis même en train de rater le coche du seul truc un peu extraordinaire de base accessible à tous : avoir un gamin. Décevant.

J'ai une copine qui essayait de me rassurer, l'autre jour. Elle me disait : « Non, mais tu sais, maintenant, on peut congeler ses ovocytes. » Mais ça ne m'a pas du tout remonté le moral. Je me suis projetée dans cinq ans, toujours célibataire, en train de revenir de chez Picard, seule, et de ranger mes poissons panés à côté de mes enfants pas nés. C'est glauque, votre truc.

Et puis je ne veux pas tomber dans l'éternelle complainte du trentenaire. « Putain, j'ai 37 ans, pas de mec, pas d'enfant, pas de CDI, pas de voiture, pas de chien, j'ai rien construit ! »

Tout ça à cause de ces dessins de merde qu'on faisait quand on avait 5 ans, avec une maman, un papa, une maison, une voiture et un soleil qui sourit.

Eh ben non, il ne sourit pas, le soleil !

Ce sont ces dessins qui nous dépriment. Parce que trente ans après, il y aura toujours cet enfant au fond de nous qui pense que si on n'a pas tout ce qu'il y avait sur le dessin, on a raté sa vie.

Il faut arrêter avec ça, les parents devraient être beaucoup plus sévères avec les enfants qui dessinent des conneries comme ça. Pour les protéger. Il faut dire aux enfants de dessiner des gens seuls, tristes, en train de prendre des antidépresseurs et de faire des abdos dans de tout petits appartements insalubres et très chers.

Ça, ça pourrait les aider à accepter... ce qu'ils n'auront peut-être même pas.

Je me doute que c'est dur pour des parents d'engueuler leur enfant pour ça, je ne suis pas complètement demeurée. C'est trop beau l'innocence d'un enfant, on ne veut pas qu'il découvre trop tôt que la vie est une salope, cruelle et dénuée de sens, bien sûr, je sais. Moi-même, j'ai été une enfant avant d'être dépressive, et je me rappellerai toujours cette cassure dans ma vie, la déception immense, quand j'ai réalisé que le père Noël n'existait pas et que c'était tonton Bernard que j'étais en train de sucer.

C'est pas vrai. Je dis ça pour donner des haut-le-cœur aux jeunes parents. Ça, c'est un problème quand on devient parent, on perd beaucoup en second degré. Moi, je me rappelle, les mêmes potes qui riaient grassement aux blagues pédophiles, ils ont eu un gamin et, du jour au lendemain, ça ne passait plus du tout.

J'ai un copain pédophile, Michel, un mec très sympa. Je sais que certaines personnes les condamnent violemment. Moi, je n'ai pas du tout d'humour là-dessus. Il faudrait vraiment arrêter de faire des généralités sur les pédophiles, ils ne sont pas tous antipathiques. Je raconte beaucoup de bêtises dans ce livre, mais là, je ne rigole pas, Michel, c'est une crème, c'est un mec en or, et c'est mon seul copain mec, Michel. C'est rare, l'amitié franche et sincère entre un homme et une femme, sans ambiguïté. Bon là, bien sûr, il n'y a pas d'ambiguïté parce que je ne suis pas son cœur de cible.

Et puis il n'est pas vraiment pédophile-pédophile. C'est très spécifique, son délire.

Il est surtout branché bébés, lui. Les nourrissons, et aussi les personnes très âgées. Il aime bien les deux extrémités de la vie, c'est son truc. Enfin, il aime bien quand il n'y a pas de dents, quoi !

C'est pas vrai. C'était encore une bêtise. Il n'est pas pédophile, Michel. Il est zoophile.

Par contre, ça, c'est vrai. Et j'avoue que, quand il me raconte ses trucs de zoophilie, je ne suis pas indifférente. Disons que je comprends déjà mieux la zoophilie que la pédophilie. Les mômes m'emmerdent, moi, je ne sais déjà pas quoi leur dire, alors rentrer dans une relation intime...

Enfin, ce que je veux dire, c'est que, quand on regarde dans la nature, il y a des animaux très beaux.

Le lion, c'est beau, par exemple. Ça ne doit pas être désagréable de se faire baiser par un lion. On n'a pas l'habitude d'imaginer ça parce que depuis qu'on est petits, on nous dit : « Attention, le faites pas entre les espèces, pas entre frères et sœurs… » Mais ça, c'est rien que des conventions. Si on imagine vraiment une situation romantique : une fin d'après-midi chaude dans la savane, à l'ombre d'un arbre, avec un petit vent tiède, toute nue, avec monsieur le Lion à côté, qui fait semblant de nous ignorer, mais qui jette des petits regards de temps en temps l'air de rien, puis un autre, plus long cette fois, carnassier… Moi, ce serait un lion…

Mais il y a des tas d'animaux très sexy. Comme la chèvre.

La chèvre, c'est carrément un appel au sexe. Je regrette, mais cet animal a été dessiné par un ingénieur de la levrette. Avec ses deux poignées sur la tête, là !

D'ailleurs, je pensais à *La Chèvre de monsieur Seguin* l'autre jour et je me disais que le sous-texte de cette histoire est parfaitement réactionnaire.

Pour rappel :
Monsieur Seguin, vieux monsieur, plus trop la patate sexuellement, qui se laisse un peu vivre avec des habitudes de vieux

monsieur, qui aime bien garer sa bagnole à l'ombre tout ça, un peu chiant. À côté, Blanquette, la petite chèvre fringante. Mais elle en a eu marre, Blanquette, de supplier ! « Monsieur Seguin, baiiiiiise-moi. » Alors, elle part, bien décidée à brouter du gazon ailleurs, et paf ! elle tombe sur le loup, et paf ! elle crève.

Qu'est-ce que ça nous dit, dans le fond ? La morale de cette histoire ?

1) Les femmes deviennent lesbiennes quand elles sont déçues par les hommes, ce qui est une vision totalement hétérocentrée de l'homosexualité.

Et 2) la liberté tue.

Paf ! Complètement réac !

Je vous dis ça au cas où, parce que je sais qu'aujourd'hui les parents font hyper-casher gaffe[1] à ce qu'ils disent ou lisent à leurs gosses. Surtout les bobos.

---

1. Allez, encore un petit que les boches n'auront pas.

Moi, je suis une bobo. C'est d'ailleurs pour moi une bonne raison de ne pas faire d'enfants. Les bobos, quand ils deviennent parents, ils pètent un câble. Moi, j'ai vu tous mes potes muter.

Il faut bien comprendre l'image que le bobo a de lui-même au départ pour analyser ce phénomène de transformation qui advient quand il a un enfant.

Je vais me prendre en exemple pour prouver ma bonne foi :

Moi, bobo, quand je me lève le matin, qu'est-ce que je vois dans le miroir de la salle de bains ? Une putain d'humaniste, à savoir une nana qui, malgré sa supériorité intellectuelle, sociale, professionnelle, culturelle, économique, morale, fait don d'elle-même en habitant un quartier populaire, pleine de bienveillance envers les indigènes, avec une ouverture d'esprit telle qu'il m'arrive par exemple de dire dans des dîners : « Attends, tu rigoles, mais la viande hallal, c'est super bon, ça a même presque plus de goût. »

Je suis tellement bienveillante que j'ai plus tendance à sourire à un inconnu dans la rue s'il est visiblement d'origine étrangère. Pourquoi ? Eh bien, parce que c'est très important pour moi qu'il comprenne immédiatement que, bien que je sois blanche, je n'ai pas l'intention de lui faire du mal, contrairement aux fouetteurs d'esclaves qu'il pourrait rencontrer par ailleurs. Je veux qu'il se sente le « bienvenu » (même si le gars est là depuis trois générations, c'est important).

Même si je flippe ma race quand je rentre seule la nuit chez moi, à tel point qu'une fois enfermée dans mon appart, bien souvent, je n'ai plus qu'à jeter ma culotte, je défends toujours bec et ongles mon quartier en affirmant qu'il est cool et familial.

Ce don de ma belle personne aux indigènes m'élève au-dessus de l'homme de droite, cynique et égoïste, parce que, moi, en habitant un quartier populaire, je fais progresser l'humanité, grâce à la mixité sociale.

Deux grands paradoxes entravent le destin du bobo.

D'abord, en achetant dans ces quartiers populaires, on fait monter les prix de l'immobilier. Ainsi, les indigènes, pauvres, pour lesquels on était venus au départ, qu'on veut avoir dans notre décor de vie, ne pourront plus se payer très longtemps le luxe d'habiter leurs logements insalubres, vu que les loyers vont devenir inabordables à cause de nous. Ils vont donc se barrer, mais on va être tristes, nous, puisque c'était pour le melting-pot qu'on était là. Alors, qu'est-ce qu'on fait ? Eh bien, on les suit, toujours plus loin, au-delà du périph depuis quelques années, Montreuil, Bagnolet, les Lilas. « Hé ! On en veut du boubou sur les marchés, nous ! » Mais ce n'est pas une solution de long terme. Si on continue de les pister comme ça, un jour, ils finiront par rentrer dans leur pays d'origine, fatigués d'être harcelés par les bobos. Peut-être qu'un jour le FN remerciera les bobos d'avoir enfin débarrassé la France des immigrés. C'est possible ! On n'est pas à l'abri de voir un jour des affiches de Marine avec un sourire ultra-white : « Merci, les bobos ! »

Deuxième paradoxe : quand le bobo a un enfant.

Le jour où le bobo revient de la maternité dans son quartier chéri avec son bébé dans les bras, un fusible pète dans son cerveau, on le perd pour toujours ! « Mais il est pourri le quartier, Marie, on va pas mettre Hugo à l'école ici quand même ! » C'est à ce moment précis que la pute sénégalaise qui prend du crack dans sa cage d'escalier perd tout son côté folklorique pour retrouver sa véritable couleur, à savoir méga-glauque.

Mais, à la différence de n'importe qui d'autre qui aurait le pognon qu'il a et qui se casserait en courant, loin, vers Versailles, tel Louis XVI vers Varennes, en pleine nuit, « Viens, Marie, viens ! », eh bien le bobo, lui, reste dans son quartier, parce qu'il ne voudra jamais admettre ce sentiment de peur et de dégoût qui soudain l'envahit. Et pourquoi ? Parce que le plus important pour lui dans la vie, c'est que le matin dans sa salle de bains, il puisse voir un humaniste.

C'est là que le compte à rebours commence.

Hugo à la crèche, le bobo en prend son parti, c'est même charmant. Il est ravi de pouvoir faire du name-dropping dans les dîners, l'air de rien : « Hugo adore la crèche.Quand on va le chercher, il veut pas partir, il pleure parce qu'il veut pas quitter Sissoko, son meilleur copain, c'est trop mignon. » Du name-dropping sous-entendant que Hugo, dès son plus jeune âge, est déjà, lui aussi, un humaniste.

À partir de la maternelle, ça se gâte. Parce qu'à la maternelle dans les quartiers populaires, comme chacun sait, c'est activité prostitution à la récré, atelier de fabrication de ceintures explosives pour la fête des Pères et tournante pendant la sieste.

On ne s'en rend pas compte, mais le combat intérieur est terrible pour le bobo qui va devoir justifier, auprès de tous ses amis de gauche, et surtout de lui-même, sa décision de ne pas mettre Hugo dans une école du quartier.

Alors, le bobo ment. Un jour, en plein pique-nique aux Buttes-Chaumont, l'air de rien, il lâche la bombe : « Avec Marie, on a décidé de penser que l'école publique, c'est carrément une fabrique à petits capitalistes financiers de merde. Donc on va mettre Hugo dans une école Strafeïner. Je sais pas si tu connais, c'est génial, les enfants sont pas notés, y a pas cet esprit de compète qui ronge l'école publique aujourd'hui, tu vois. Bon, c'est à trois quarts d'heure de bagnole de Bagnolet, mais ça vaut le coup, attends, la cantine est bio. »

J'ai des amis bobos qui se reconnaîtront sûrement et je voudrais préciser que ce n'est pas une attaque. On ne peut pas leur en vouloir individuellement. Parce que vu qu'aucun bobo ne met ses enfants dans les écoles des quartiers où ils habitent, le seul qui va y aller, le gamin du bobo extrémiste qui pile son mil en écoutant du jazz éthiopien et qui a appelé sa fille Gaïa, c'est sûr qu'il va prendre cher, le gamin.

Ce n'est pas une attaque. Je pense que ça doit être très pénible pour le bobo d'avoir à assumer ce paradoxe philosophique.

Le jour des élections doit être douloureux pour le bobo qui a des enfants, aussi ! Assumer d'aller voter pour un parti de gauche qui prône la mixité sociale, dans un isoloir installé dans le préau de l'école du quartier dans laquelle pour rien au monde il ne mettrait son gamin parce qu'il a supposé qu'il y serait le seul blond. C'est une opération qui s'annule en fait : plus, moins. Il resterait chez lui ce jour-là, ça reviendrait au même.

On perd beaucoup en second degré quand on devient parent. L'enfant, c'est un truc sacré qu'on porte comme un Graal. Beaucoup de parents se comportent avec leurs enfants comme s'ils se disaient : « Ça va être un moi parfait, sans mes erreurs. » Et, effectivement, contrairement à toi qui dois vivre et lutter tous les jours contre tes pulsions d'autodestruction, qui foutent en l'air toutes tes bonnes résolutions, avec l'enfant, tu peux tout contrôler pour qu'il ne lui arrive jamais rien de mal, tu vas même jusqu'à rectifier son alimentation si tu juges que la consistance de sa merde n'est pas totalement parfaite. Alors que toi, ça fait quatre jours que t'as la chiasse, mais c'est pas ça qui t'empêche de bouffer un grec.

En vérité, je ne sais même plus si j'en veux, des enfants. C'est un truc bizarre ! À 25 ans, tu ne réfléchis pas, les enfants, tu les fais. Tu regrettes après, mais tu les as faits. Passé 35, tu réfléchis. C'est un truc qui doit être totalement naturel et spontané, il ne faut pas réfléchir. Si tu réfléchis, c'est glauque. Parce qu'au fond, la vie, ce n'est qu'une histoire de trou. Le môme sort de ton trou en pleurant. Si tout se passe « au mieux », à la fin, il te met toi dans un trou en pleurant. Entre les deux, il est obnubilé par les trous, ou par ce qui serait susceptible de le boucher. Finalement, la plupart des biographies devraient s'appeler *D'un trou à l'autre*. Tout est une histoire de trou. C'est les Normands qu'ont bien compris ça, d'ailleurs.

Et puis, il y a aussi ce phénomène étrange lié au caractère périssable de l'individu qui me hante. Je n'arrive pas à faire abstraction du fait que mettre au monde un enfant, c'est donner la vie à un condamné à mort.

La naissance nous mutile tous et pour toujours de la capacité d'être heureux, puisqu'on doit mourir. On est tous des handicapés. On devrait tous avoir droit à la Cotorep existentielle.

Nos parents ne comprennent pas que plus on vieillit, plus on leur en veut, et plus on est critiques à leur égard. Mais moi, je trouve ça assez logique d'en vouloir à ses parents. Parce que plus on avance en âge, plus on se rapproche du châtiment qu'ils nous ont infligé en même temps qu'ils nous ont donné la vie.

Je ne dis pas que c'est chouette, ça doit être dur, j'en ai conscience, que ton enfant commence à montrer les dents au moment où, toi, tu commences à les perdre, c'est dur... Mais c'est logique. Comme c'est logique que, de leur côté, les vieux deviennent pessimistes et aigris. Ils n'ont pas envie de penser que le monde de demain sera super alors qu'ils n'en seront pas, c'est humain. Quand t'es pas invité à une fête, t'espères qu'elle sera pourrie, c'est comme ça, c'est nul, mais c'est humain. C'est nhulmain.

C'est comme quand un mec dont tu étais amoureuse fait un gosse avec une autre, t'espères que le gosse sera moche et handicapé, c'est humain.

Moi, je suis en thérapie depuis quatre ans...

Principalement pour un problème de relation avec ma mère.

Et je suis obligée de constater qu'il n'y a aucune amélioration !

Toutes les semaines, je paye quelqu'un pour aller dire du mal de ma mère. Et rien ne change. Des fois, je me dis : est-ce que ce ne serait pas plus efficace de payer quelqu'un pour qu'il la bute ?

C'est ma mère qui prend cher en thérapie, parce que mon père a eu la politesse de mourir quand j'avais 25 ans, avant que je commence ma thérapie. Or, c'est impossible d'en vouloir à un mort. En tout cas, pas ouvertement. C'est bien l'un des seuls avantages de la mort, avec peut-être aussi celui de ne plus avoir froid et d'arrêter de grossir.

J'ai veillé ma grand-mère agonisante il n'y a pas longtemps.

Ça faisait déjà un mois qu'elle était subclaquante sous morphine dans sa maison de retraite à Bourges. Ma tante m'a appelée un jour et m'a dit : « Bon, bah ça y est, ils sont catégoriques à la maison de retraite, c'est la fin, ta grand-mère va partir. Mais nous aussi, on va partir en week-end là, donc ce serait bien qu'il y ait quelqu'un avec elle, pour pas qu'elle soit toute seule pour partir pendant qu'on est partis... donc si tu pouvais venir... »

Évidemment, c'est sur moi que ça tombe. S'il y a un artiste dans une famille, en cas d'urgence, c'est à l'artiste qu'on demande en premier de s'y coller. L'artiste, il ne fout rien de ses journées. Ça lui fait donc des trucs à faire de temps en temps, c'est pas mal. Et puis si tu cumules artiste, célibataire, pas d'enfant, là, t'es au top, c'est vraiment à toi qu'on pense en premier pour les trucs chiants.

Dans le train pour aller à Bourges, je réfléchissais. (Je n'avais plus de batterie sur mon portable, donc j'étais obligée de réfléchir.) Ma grand-mère, ça faisait deux ans qu'on l'avait mise dans un mouroir. Je n'étais pas allée la voir. Ça me posait des cas de conscience, évidemment. Cinq minutes tous les deux mois. Le tarif grand-mère... Je ne crois pas en Dieu, mais je ne suis pas complètement athée non plus. Enfin, je n'ai pas de personnalité, quoi. Si bien que je me dis souvent : putain, s'il existe, je suis dans la merde !

Du coup, même si cette mission était pénible, chaque kilomètre parcouru était autant de miles cumulés pour récupérer ma place au paradis. Calcul complètement con, j'en ai pris conscience quelques mois plus tard quand je me suis de nouveau retrouvée sans réseau à la campagne. Ne faites jamais ce calcul ! Parce qu'en fait, si Dieu existe, certes Il me voit prendre mon train toute seule en plein hiver pour aller à Bourges, certes Il se dit « Ça, c'est de la bonne fifille qui va aller au paradis, ça ! », mais s'Il existe, Il est omniscient, donc Il entend aussi le calcul dégueulasse que tu fais dans ta tête. Donc, non seulement tu ne vas pas du tout aller au paradis, mais tu vas te taper une putain de version aggravée de l'enfer, ouais ! Je ne sais pas, moi, avec des picots rouillés enfoncés dans le cul en guise de p'tit dèj'. On ne sait pas comment ils s'organisent, là-bas…

J'arrive à la maison de retraite. En rentrant dans ces endroits, on se met en apnée. Pas tant pour éviter de respirer des particules de pipi que dans une tentative désespérée pour nier l'existence même du moment. On a soudainement l'espoir débile que, si on ne respire pas, le lieu lui-même, le but dans lequel il a été créé, les gens qui s'y trouvent vont cesser d'exister. Ça fait ça quand on passe devant des mendiants-troncs, aussi.

Ça ne marche pas d'ailleurs, les moments et les mendiants existent même si on ne respire pas.

Une maison de retraite, ça te met une droite direct. Je passe devant la salle d'activités... Enfin, on les avait tous mis devant la télé, quoi. La moitié d'entre eux n'étaient pas au courant, je pense.

Une fois dans la chambre de ma grand-mère, je ne la vois pas dans son lit ! Alors, je me dis, putain, ils se sont foutu de ma gueule, elle est en train de taper un bridge quelque part. Puis je vois une forme dans le lit, je m'approche, je soulève les draps et là, je découvre l'étendue des dégâts. Ma grand-mère, enfin ce qu'il en restait. Je n'avais plus qu'un quart de grand-mère. Elle avait complètement rétréci. Une grand-mère lyophilisée. Je n'étais même pas certaine que c'était elle. On aurait dit un vieux gecko taxidermé sous morphine... Elle était inconsciente. Vision d'horreur ! Comme si on lui avait dit : « Grand-mère, sors de ce corps ! » et qu'elle l'avait vraiment fait. Une mue.

Là-dessus, l'infirmière entre et me dit, radieuse : « Ah ! Ben c'est sûrement vous qu'elle attendait pour partir ! » C'est marrant, cette capacité des gens qui bossent dans ces endroits d'oublier totalement que la mort ne fait pas forcément partie de ton quotidien à toi. Elle s'est penchée de manière un peu maladroite pour bouger le drap, histoire d'avoir l'impression de servir à quelque chose, j'imagine, elle a pris un ton triste, tout aussi mal joué que le coup du drap, et elle a dit, en regardant ma grand-mère : « On l'aimait bien, madame Gardin. » Je ne sais pas si c'est le ton professionnel sur lequel elle a prononcé la phrase ou l'utilisation peut-être un peu précoce de l'imparfait qui m'a gênée, mais je n'ai pas su quoi dire. L'air manquait dans la pièce. J'ai remarqué qu'ils n'avaient pas changé l'heure de la pendule dans la chambre, c'était une semaine après le passage à l'heure d'hiver. Je me suis dit, ouais, chouette, un truc à dire à l'infirmière pour briser la glace. Elle regarde l'horloge, elle soupire et me répond tout fort : « Ben comme ça, elle partira à l'heure d'été, c'est moins triste. »

Mais putain, ils ne font pas des entretiens d'embauche un peu axés sur le thème du... de la... enfin du grand voyage, parce que là, c'est quand même trash, dire ça tout fort devant elle. Quel

132

cynisme ! Et puis j'ai sorti mon cahier pour y noter tout ça.

Du coup, elle a enchaîné, bien sûr...

« Vous pouvez lui parler, elle entend tout, vous savez ! »

Parler ? Mais parler de quoi ? Déjà, ma grand-mère, de son vivant, je n'ai jamais rien eu à lui dire. Je l'écoutais, c'était déjà sympa de ma part, mais là, à moitié morte ! Et puis j'ai toujours trouvé étrange de raconter sa vie à quelqu'un qui n'en a plus l'usage.

Est-ce qu'un mourant souhaite vraiment être diverti, distrait, au moment où il doit s'occuper de son changement d'adresse définitif ?

Est-ce que ma grand-mère a vraiment envie d'entendre que, dehors, tout le monde continue de bouffer, de baiser, de rire, que les enfants continuent de grandir, pendant que le but de ses journées, à elle, son plus gros challenge, c'est de continuer de respirer ?

Qu'est-ce que tu veux raconter à un mourant ?

Donc, je ne disais rien... Il ne se passait rien.

L'infirmière est partie.

Ma grand-mère s'est mise à râler bizarrement. Un peu, c'était marrant, et puis beaucoup, c'était flippant, enfin tellement que l'infirmière est revenue fermer la porte de la chambre en disant : « Je ferme, ça fait peur aux autres pensionnaires. »

Je crois que je lui ai adressé un « Oui oui, pas de problème ! » complice en souriant. Limite smiley clin d'œil. Complicité de vivants !

J'ai pris une chaise, je me suis assise. J'ai regardé ma grand-mère. J'ai regardé l'horloge. J'ai regardé ma grand-mère. J'ai regardé l'horloge. Et je me suis dit : « Ça va être très, très long, là. »

Mais ma grand-mère s'est arrêtée de respirer d'un coup...

Alors, il faut savoir un truc : les pauses respiratoires. Avant de mourir, mais long-temps avant, on commence à se mettre régulièrement en apnée. La première fois, c'est un gros choc, ça y est, ma grand-mère passe de l'autre côté et je suis là, témoin de cet événement incroyable. Et puis, au bout de la dixième pause, on n'y croit plus.

On dit que la vie est courte, mais la mort, c'est super long ! C'est très mal équilibré, le bordel.

Et puis il y a ce truc particulier avec le statut du mourant : on a beau avoir aimé profondément une personne, une fois qu'elle a le statut de mourant, il n'y a plus qu'un truc qui compte dans ta tête : il faut qu'elle crève maintenant ! C'est terminé, il n'y a plus rien à vivre, allez, circulez, c'est tout droit, vers la lumière ! Il faut mourir, maintenant !

La preuve, c'est que pour rien au monde on ne voudrait qu'un proche chéri, réduit au presque rien, sous morphine, inconscient dans son lit d'hôpital, se redresse soudainement et dise d'une voix parfaitement claire : « Tiens, passe-moi mes lunettes, je vais faire des mots croisés. » Passé le choc, on lui hurlerait dessus : « C'EST HORS DE QUESTION ! T'as dit que tu mourrais, tu meurs maintenant, merde, espèce de sale zombie dégueulasse, va-t'en, tu pues le hareng ! »

C'est mourir qui est flippant, pas la mort.

On peut accepter la mort. On cohabite très bien avec un mort. Un mort donne toujours de bons conseils, un mort nous guide et nous protège, même.

Pas un mourant. Un mourant n'est pas une personne de bonne compagnie. On ne peut pas vivre en bonne intelligence avec un mourant. Un bon mourant est un mourant mort.

Et c'est trop long, généralement. Le mourant, il s'en fout, il est en train de se faire un gros trip à la morphine. Mais nous, on attend, on se fait chier, c'est flippant, c'est triste et ça sent l'urine...

C'est pour ça qu'il y a toujours une ambiance hyper plombée autour d'un mourant à l'hôpital. Quand des proches sont réunis dans la chambre autour du mourant. Ça piétine d'impatience. C'est très silencieux et anxiogène. Alors que dès que le mourant meurt, et que les brancardiers l'embarquent au maquillage dans les sous-sols, c'est assez classique d'aller tous ensemble à la brasserie d'en face discuter à nouveau de la vie en buvant une mousse... C'est peut-être pour ça qu'on appelle ça la « mise en bière », d'ailleurs. C'est le signal qu'on peut aller s'en jeter une. Enfin !

Non, c'était long ! J'ai demandé un plateau-repas à un moment. Je me suis dit, ça va faire passer le temps comme dans l'avion. Mais ce n'était pas l'heure du manger. L'infirmière m'a apporté un bol de petits pois. En fait, c'était impossible

de manger quoi que ce soit. Tout était ver-
dâtre. Les petits pois, les murs, la lumière,
la tête de ma grand-mère. En plus, ils
lui avaient enlevé son dentier et elle res-
pirait par la bouche. Donc, elle avait la
bouche grande ouverte et c'était tout noir
à l'intérieur. On ne voyait pas le fond.
C'était plus du tout une bouche. Les bor-
dures du trou étaient plissées et velues et,
à l'intérieur, l'infini. Une sorte de caverne
super flippante. Même une araignée aurait
flippé d'y entrer. J'étais hypnotisée par ce
trou noir. C'était bizarre, je me faisais
chier, mais j'étais fascinée, pétrifiée par
cette vision. J'étais pétrichiée.

J'avoue que l'idée de lui lancer des petits
pois dans la caverne m'a traversé l'esprit
parce que, vraiment, je me faisais chier.
Mais je ne l'ai pas fait, j'ai réalisé à temps,
heureusement, que c'était mon cerveau
malsain qui avait fomenté ce projet. Et
puis je suis nulle au basket, j'en aurais
foutu partout...

Mais je me faisais chier, alors j'ai
quand même fait un selfie avec elle.
Que j'ai balancé sur Instagram : #mamie-
boucheàpipe.

C'est pas vrai, j'ai pas Instagram.

Je l'ai balancé par texto à Michel pour le faire kiffer.

Je voulais vraiment être là au moment où elle partirait. Je me rappelle que je fixais son visage en attendant qu'elle parte complètement et je me disais : au moment où elle va vraiment partir, je vais graver cette image dans mon esprit pour toujours et, comme ça, je ne pourrai pas foirer comme Marion Cotillard dans *Batman* si je dois tourner une scène où je meurs...

Après, je me suis dit, c'est stupide, si je dois tourner une scène où je me fais tirer dessus, je ne vais pas mourir comme une petite vieille dans un hospice. Du coup, je suis partie avant la fin...

Je n'ai pas accompagné ma grand-mère jusqu'à la mort.

En même temps, elle ne m'a jamais accompagnée nulle part non plus.

C'est horrible ces situations qui te rappellent que oui, toi aussi, tu finiras en gecko dans un hospice. Ou pire, si ça se trouve, demain je vais à Ikea chercher un Billy (un jour de semaine, pensant être plus maline que tout le monde) et je meurs au resto d'Ikea à cause d'une fausse route avec une boulette à la merde. Eh bah j'ai envie d'en avoir profité avant. Ceci dit, l'avantage, à Ikea, c'est que t'as tout sur place pour fabriquer ton cercueil toi-même.

Je suis partie, c'était trop flippant d'être toute seule avec elle, comme ça. Ce n'est pas vivable parce que c'est le genre d'expérience qui te renvoie à ta propre mort. Finalement, c'est assez rare de prendre conscience qu'on va mourir, nous aussi, que ça nous concerne réellement, personnellement, pas seulement les personnes sur l'autoroute ou les Arabes qu'on bombarde pour les convertir à la démocratie.

« Tout le monde sait qu'il va mourir, mais personne ne le croit vraiment pour lui-même. » C'est approximativement ce que Jankélévitch a dit un jour qu'il devait être particulièrement en forme et de bonne humeur. C'est vrai ! Quand on pense à la mort, on a tous cette petite voix qui nous chuchote : « Non, mais toi, non, c'est bon, toi, ils vont te faire passer par la porte de ceux qui meurent jamais, mais chut, le dis pas aux autres... » Mais non ! Tu vas crever !

Encore une fois, dans l'hypothèse de l'existence d'un créateur, quelle preuve de perversité majeure ! Créer des êtres qui ont conscience de leur finitude ?

C'est pour ça que je pense que l'espèce humaine est la plus malchanceuse. Après les Juifs, bien sûr[1].

Combien de fois j'ai pensé à la chance qu'ont les animaux ! Un petit hérisson. J'aurais kiffé être un petit hérisson qui n'a pas conscience qu'il va mourir.

Le petit hérisson, il croise sa compagne inanimée au pied d'un arbre, qu'est-ce qu'il se dit, au pire ? « Oh ! Tu fais chier, ça fait trois jours que tu fais la gueule ! Tu m'engueules parce que je te désire plus, mais tu te négliges, t'as des fourmis partout ! Bon, bah moi, je vais baiser ma sœur, salut ! » C'est magnifique !

C'est terrible d'avoir conscience de sa propre mort. Et paradoxalement, c'est aussi ce qui permet de profiter à fond de certains moments. C'est parce qu'on sait qu'on va mourir qu'on a des instants de bonheur intense. Les états de bonheur

---

1. Blague exigée par le CSA pour la parité.

n'existent que parce qu'on sait que tout cela n'est pas éternel.

Le hérisson est dans une routine, mais ça ne l'angoisse pas, lui. Il n'a pas de compte à rebours.

C'est pour ça que les hérissons n'ont pas besoin d'ingurgiter des litres et des litres de vodka toutes les deux semaines pour se donner l'impression de profiter d'une existence qui prendra fin un jour. Parce que c'est pour ça que les humains boivent !

Les étiquettes « À consommer avec modération », n'est-ce pas la pire hypocrisie qui puisse exister ?

Comme si on buvait pour le goût ! « Hummm, c'est bon le gin ! » Non !

« À consommer avec modération » ! Quel est l'intérêt de boire... un peu ? Boire sans atteindre l'ivresse ? C'est aussi absurde que de se branler et de s'arrêter avant de jouir.

D'ailleurs, c'est énervant quand t'arrêtes de boire : tu te retrouves avec les non-buveurs dans les soirées. C'est une vraie petite communauté, je n'avais jamais remarqué. Et c'est une communauté qui exclut beaucoup. Alors que les bourrés, eux, incluent beaucoup : « Allez, viens, on va trinquer dans la cuisine ! » « Allez, viens, on montre notre cul à Tata Jeanine ! » Il y a toujours un moment où un des non-buveurs dit, avec un petit sourire méprisant vers la piste où les bourrés se déchaînent : « Moi, j'ai jamais eu besoin de boire pour m'amuser ! », d'un air sinistre. Et en général, il ajoute : « T'façon, moi, à part le jazz... »

Les gens qui ne fument pas aussi ont cette tendance dégueulasse. Ils sont déjà bénis des dieux de ne pas être tombés dans la clope, mais ils éprouvent quand même le besoin de dire que c'est bien, comme si ne pas fumer était quelque chose de « bien » qu'ils avaient réalisé dans leur vie ! Alors qu'en fait, ils se vantent d'un truc horrible qui ne leur est pas arrivé.

C'est comme si un mec disait à un tétraplégique : « Tiens, c'est marrant, moi, pour me déplacer, j'ai jamais besoin d'un fauteuil, ça m'est même jamais venu à l'esprit, dis donc ! Et en te voyant, j'en ai encore moins envie. Et sinon, ça te fait vraiment kiffer de baver, parce qu'à voir, pour les autres, c'est pas jojo... Bon, tu m'excuses, j'adore cette chanson, je vais danser. »

Le mérite de ne pas fumer ne revient pas à ceux qui n'ont jamais fumé, il revient à ceux qui ont arrêté de fumer, c'est eux les warriors, les vrais, les vétérans ! Eux, ils l'ont faite, la guerre à la clope.

« Moi, j'ai jamais eu besoin de boire pour m'amuser ! »

On ne boit pas pour s'amuser ! On va dans un manège pour s'amuser ! On boit pour être torché, on boit pour oublier que le bonheur n'existe pas... sans alcool !

Ce n'est pas pour s'amuser qu'on crie « OUAIS ! » aux premières notes de

La Compagnie créole en se jetant sur la piste comme un aliéné. C'est simplement le signe que l'alcool a fait son boulot, qu'on n'est plus en train d'essayer désespérément de donner un sens à son existence en prétendant qu'on n'aime que le jazz. Non, tu n'aimes pas le jazz. Arrête. Tu mens, comme tous les mecs à jeun. Parce que quand t'es à jeun, tu ne dis pas ce que tu penses. Alors que quand t'es bourré, tu ne penses pas ce que tu dis et c'est pour ça que tu dis la vérité.

On dit que l'alcool, c'est Docteur Jekyll et Mister Hyde, que ça fait ressortir un truc foufou et diabolique. Mais non, ça fait ressortir la vérité. On dit qu'il faut être en accord avec ce qu'on pense, mais c'est bien plus honnête d'être en accord avec ce qu'on arrière-pense, et c'est ce que l'alcool permet. Ça nous libère de tous les mensonges de ces constructions mentales qu'on appelle très prétentieusement « nos pensées ».

« Excuse-moi, j'étais bourré » est la plus mauvaise excuse du monde. Ce n'est pas une excuse, c'est un élément à charge ! On devrait plutôt dire : « Excuse-moi, j'étais à jeun ! Tu sais ce que c'est, quand on est à jeun, on essaye d'être logique. On finit par dire n'importe quoi pourvu que ça ait du sens. Et ce soir, après trois whiskys, je me suis dit "qu'est-ce que j'ai encore raconté ce matin, quand je t'ai dit que Juppé était peut-être la solution pour la France ?" Faut vraiment que j'arrête d'être à jeun tous les matins, c'est con, je vais droit dans le mur. »

Au fond, en soirée, qu'est-ce qu'on va chercher dans La Compagnie créole que le free-jazz ne peut pas nous donner (à part les migraines et l'épilepsie) ? « Au bal, au bal masqué. » On a tous un masque, on est tous égaux. « Aujourd'hui, tout est permis ! » À quoi s'oppose le mot « aujourd'hui » dans cette phrase de La Compagnie créole ? À demain, au sens où tout peut s'arrêter, à la mort ! Donc, le message de La Compagnie créole : CARPE FUCKING DIEM. Bon, si l'album de La Compagnie créole s'était appelé *On va tous crever*, ils auraient vendu moins de disques, mais c'est ça, le sous-texte !

Qu'est-ce qui fait rire les oiseaux et chanter les abeilles ? C'est un mec bourré qui montre joyeusement son cul, alors qu'il sait qu'il va mourir !

Alors, le jazz... j'en ai, hein, j'en écoute, j'en mets, à l'apéro, avant que les gens soient bourrés. Ou alors, je prévois une playlist entière de jazz quand j'invite des vieux à dîner. Eux, ils pensent déjà suffisamment à la mort comme ça, je ne vais pas en plus les plomber avec La Compagnie créole.

C'est pour ça que les hérissons ne boivent pas d'alcool. Si les hérissons avaient conscience de la mort, il y aurait des tournées de La Compagnie créole en forêt. Il n'y en a pas. J'ai regardé sur leur site. Il n'y en a pas.

Je pense beaucoup à la mort. Ça m'occupe à peu près deux heures par jour.

Alors je me dis, avoir un enfant... S'il faut en plus que je pense à la mort du gamin, même si c'est moins grave, ça va chercher dans la demi-journée. C'est chronophage.

Mais c'est vrai, tout est une histoire de trou... de l'utérus à la tombe. Il n'y a pas d'échappatoire.

D'ailleurs, en parlant de trou...

Mon dernier frottis était anormal. Papillomavirus. C'est joli comme nom, on imagine des papillons multicolores qui batifolent dans l'utérus ! Ben c'est pas ça. J'ai vu, on te met une caméra pour l'examen, on te propose de regarder sur un écran. Moi, si j'avais choisi le nom, j'aurais plutôt appelé ça un pied-de-clochardus. Ou le viande-perimus. Mais papillon, je ne vois pas, non...

Le papillomavirus, c'est donc une MST qui évolue en cancer de l'utérus. Cool !

Fallait bien que ça tombe un jour ou l'autre, vu le comportement débile que j'ai toujours eu avec les préservatifs. Je ne pense pas être la seule dans ce cas. Notre génération, quand on se met avec quelqu'un, on est carrés ! On est au courant, on met des capotes, on a été bien édu-traumatisés, c'est bon. Et puis, au bout de dix jours, sans qu'aucun des deux n'ait fait de test, on arrête d'en mettre. Résultat d'une logique étrange. « Attends, ça fait dix jours que je le connais, s'il avait le sida, il serait déjà mort. »

J'aurais rêvé mieux comme cause à défendre, bien sûr. Les artistes ont tous un cheval de bataille : qui la famine, qui les sourds-muets, qui les orphelins, c'est beau. Ben non, moi, ce sera une MST dégueulasse ! « Blanche s'engage auprès des chattes pourries. »

Alors, le médecin me dit : « C'est une MST, madame, il va donc falloir prévenir les personnes avec qui vous avez eu des relations sexuelles !

— Ah, cool ! »

C'est une saloperie parce que tu ne peux pas savoir quand tu l'as chopée. Moi, j'ai pris une période au pif de six-sept ans pour prévenir les gens. J'ai décroché mon téléphone. Et je me suis dit, non, impossible ! « Allô ! Oui, salut, c'est Blanche. Je t'appelle en masqué parce que je veux surtout pas reprendre contact avec toi, mais juste te dire que j'avais la chatte pourrie, donc c'est mieux si tu checkes ta bite. Allez, salut. »

Après, j'ai pensé au mail, un mail collectif, formel : « Chers ex... » Avec un objet rigolo, genre « ZOB en feu » ou « ATTENTION CANCER ». Mais je n'avais pas toutes les adresses, et puis le mail collectif, tu ne peux pas mettre plus de cinquante destinataires, ça n'allait pas.

C'est pour ça que j'ai décidé d'écrire ce livre. Ça me soulage d'en parler et je me dis que si le livre marche, si les gens en parlent, ça arrivera forcément aux oreilles de ceux qui ont sanitairement besoin d'être informés.

À vous de jouer, donc ! Offrez ce livre à tous vos amis pour réaliser cette grande chaîne humaine. Attention, si vous ne le faites pas, le malheur s'abattra sur vos proches et vos animaux domestiques.

Dans le cas contraire, si vous le faites, vous aurez une place réservée au paradis, à côté de ma grand-mère ! #mamiebboucheàpipe

Maintenant, il faut que je vous laisse.

« *Le rire est à la bouche ce que le pet est à l'anus : un oubli de soi.* »

BLANCHE G.